Aprende a cortar el cabello

Método sencillo para hacerlo en casa

APRENDE A CORTAR EL CABELLO

MÉTODO SENCILLO PARA HACERLO EN CASA

Loren Garibay

Grupo Editorial Tomo, S. A. de C. V.
Nicolás San Juan 1043
03100 México, D. F

1a. edición, febrero 2003.
2a. edición, septiembre 2003.
3a. edición, enero 2005.
4a. edición, julio 2009.

Nicolás San Juan 1043, Col. Del Valle
03100 México, D.F.
Tels. 5575-6615, 5575-8701 y 5575-0186
Fax. 5575-6695
http://www.grupotomo.com.mx
ISBN: 970-666-716-4
Miembro de la Cámara Nacional
de la Industria Editorial No 2961

Diseño de portada: Emigdio Guevara
Ilustraciones: Mario Guevara, Roberto Castro y
Emigdio Guevara
Formación tipográfica: Marco A. Garibay
Supervisor de producción: Leonardo Figueroa

Impreso en México - *Printed in Mexico*

Contenido

Introducción

Por Ana Laura Díaz

El cabello siempre ha sido algo distintivo en las personas. Una cabellera bien arreglada y con un corte adecuado puede lograr que la persona sea más atractiva o que llame la atención de manera más fácil que las demás.

Muchas veces no sabemos sacarle ventaja de los rasgos físicos, ni tampoco ocultar los "defectitos" que todos nosotros tenemos.

Soy una firme creyente de que en el mundo no existen personas "feas" o "poco agraciadas", lo único que debemos de aprender es analizar perfectamente las cualidades con las que contamos y sacarle el provecho para vernos mejor.

Loren Garibay es una persona que ha logrado que muchas de nosotras nos veamos muy bien. Ella no sólo corta el cabello, te da consejos y te dice qué es lo mejor que va con tu tipo de cara, altura, confección, etc.

En este pequeño libro no sólo aprenderás a cortar el cabello de una forma sencilla y amena, sino que también lograrás ayudar a todas tus amigas y amigos para que se vean y se sientan mejor.

Si tu intención es empezar un negocio de corte de cabello, la manera más rápida y sencilla de comenzar la encontrarás en estas páginas. Y si lo que deseas es ahorrarte unos cuantos pesos y hacer tú misma los cortes, también este es el libro que andas buscando.

No es necesaria experiencia alguna para adentrarse en las fabulosas páginas de ***Aprende a Cortar el Cabello***. Como te mencioné anteriormente, esta sencilla guía te llevará paso a paso en cualquier tipo de corte que desees.

Mucha suerte y diviértete transformando la personalidad de tu familia y amigos.

Ana Laura Díaz

Capítulo 1

EL CABELLO

El cabello refleja nuestra salud interior; cuando estamos sanos el cabello es luminoso, resistente y tiene un tacto suave.

Las enfermedades, el estrés, la fatiga y los fármacos pueden arruinar su brillo, restarle vitalidad y volverlo rebelde.

Nuestro cabello está compuesto por células de la proteína llamada queratina. Cada hebra está formada por tres capas: la cutícula, el córtex y la médula.

La capa exterior protectora se compone de minúsculas escamas llamadas cutículas; cuando el cabello se encuentra en buenas condiciones, estas escamas permanecen planas, dando brillo y suavidad al cabello.

Cuando una persona tiene el pelo maltratado por lo general es mate y quebradizo, ya que las cutículas han resultado dañadas física y químicamente.

Bajo las cutículas se encuentran las células parecidas a fibras que forman el córtex y que confieren al cabello su fuerza y elasticidad.

La melanina, el pigmento que determina el color del cabello, también se encuentra en el córtex. La médula, que es el núcleo del cabello, está compuesta por células blandas de queratina que son las que suministran al córtex y a las cutículas los elementos nutritivos y otras sustancias vitales para mantenerlo en buen estado, saludable y resistente.

El cabello pasa por tres fases de crecimiento:

1. La anágena, que dura hasta 4 años cuando crece de manera activa.

2. La catágena, que dura hasta 20 días cuando el cabello deja de crecer pero continúa la actividad celular.

3. La telógena, que dura hasta 90 días y supone el cese definitivo del crecimiento.

Normalmente, el 93% de nuestro cabello se encuentra en la fase anágena, el 1 % en la catágena y el 6% en la telógena.

Datos Curiosos

* El número de cabellos de una persona se determina genéticamente. Lo normal es tener entre 80,000 y 120,000.

* Un dato curioso es que las personas rubias tienen más cabello y las pelirrojas menos. Por lo general, las mujeres tienen más cabello que los hombres.

* El cabello crece unos 12 mm por mes. El ritmo de crecimiento es mayor en verano y mientras dormimos. Si una persona jamás se cortara el cabello, éste crecería hasta los 107 cm y después se caería.

* Un cabello tiene una vida media de 7 años, aproximadamente.

* Todos perdemos entre 50 y 100 cabellos al día. Sin embargo, éstos suelen ser reemplazados por otros nuevos, con lo que la pérdida no se nota.

* Con la edad el cabello se hace más seco y quebradizo. Asimismo, se dan cambios de color, pues la producción de melanina disminuye y acaba por detenerse. Es por ello que el pelo pierde color y se pone "gris".

* Un cabello sano puede llegar a estirarse hasta un 30% de su longitud normal antes de romperse. También puede ser capaz de absorber su peso en agua.

* El cabello humano es más fuerte que un alambre de cobre del mismo grosor.

* La grasa es el protector natural del cabello. El estrés y las enfermedades, los cambios hormonales y ciertos cosméticos o medicamentos, alteran la actividad de las glándulas sebáceas.

* El color de cabello viene determinado por el pigmento llamado melanina. La forma y el número de gránulos de melanina de la hebra del cabello determinarán su color natural. Las personas con un gran número de gránulos alargados de melanina tienen el pelo negro; las que tienen un menor número de gránulos alargados lo tienen castaño; y las que tienen incluso menos gránulos, y más pequeños, rubio. Las que tienen los gránulos ovalados o esféricos lo tienen de color rojo.

¿Cómo Saber Si El Cabello Está Sano o Maltratado?

Antes de empezar con cualquier corte de cabello o peinado, debes de tomar en cuenta el estado físico del cabello.

Lo primero que debes hacer es cortar un par de cabellos y analizarlos de la siguiente manera:

* Toma un cabello y estíralo con cuidado; si éste muestra flexibilidad y se riza, estás frente a un cabello sano

* Si por el contrario, el cabello se rompe y no se riza, estás frente a un cabello dañado.

Cuando te encuentras un cabello con las puntas resecas o quebradas; uno sin color o brillo; o una cabellera expuesta a productos químicos y un cuero cabelludo irritado, es necesario preguntar a la persona sus hábitos de limpieza y peinado, seguramente ahí estará el problema y la solución.

Más adelante encontrarás un apartado donde te mostraré cómo debes de lavar, cuidar y cepillar el cabello para mantenerlo siempre saludable.

Capítulo 2

ACCESORIOS

El cabello siempre ha sido algo que el ser humano ha cuidado y apreciado a lo largo de los siglos.

En muchas ocasiones, la cara puede verse beneficiada (o perjudicada) por un corte de cabello.

Si se desea tener un corte de cabello perfecto, y que vaya de acuerdo con las características de cada individuo, tienes que tomar en cuenta los siguientes factores:

* Tipo de cabello (consistencia, color, etc.)
* Forma de la cara
* Edad de la persona
* Color de piel
* Técnica de corte

Esto te servirá como base para los siguientes capítulos.

ACCESORIOS PARA EL CABELLO

* Tijeras de precisión
* Tijeras de entresacar

* Rasuradora o Maquinilla Eléctrica
* Navaja
* Peine (grueso, delgado y de cola)
* Pinzas
* Bata protectora
* Rociador
* Secadora de pelo eléctrica
* Tenazas eléctricas
* Cepillo

Tijeras de precisión: Podemos encontrar en el mercado una gran variedad de tijeras de precisión.

Lo que yo recomiendo a todos mis alumnos, es que experimenten con varios modelos, hasta que encuentren las tijeras que mejor se ajusten a su mano y a su estilo para cortar el cabello.

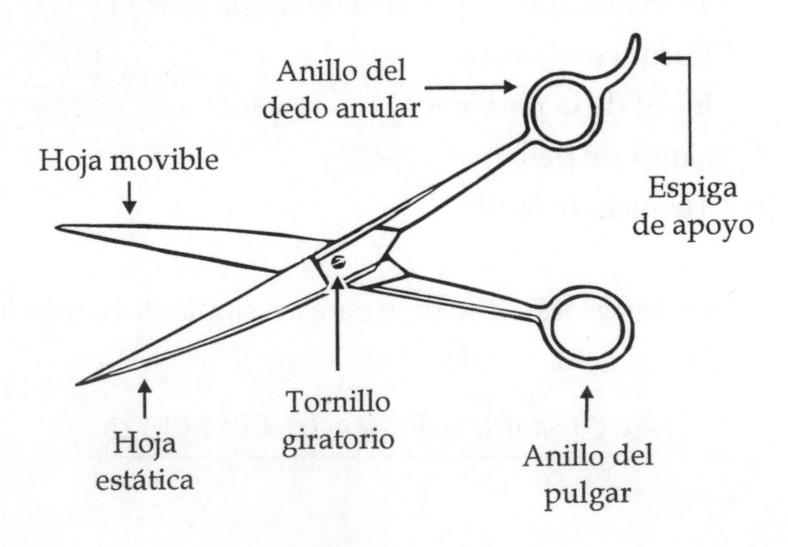

Tijeras Largas

Cuando el cabello es corto las tijeras con hojas pequeñas son lo más recomendable, pues con ellas lograremos tener acceso a cualquier zona sin correr el riesgo de lastimar a la personas.

Para un corte de cabello largo es mejor echar mano de las tijeras con hojas largas, ya que con la ayuda de un peine lograremos cortar uniformemente las capas.

Para facilitar el corte de cabello, las tijeras deben ser de buena calidad y mantenerlas siempre en buen estado. Lo mejor para lograrlo es secarlas y limpiarlas, y quitar todo residuo de cabello después de cada corte.

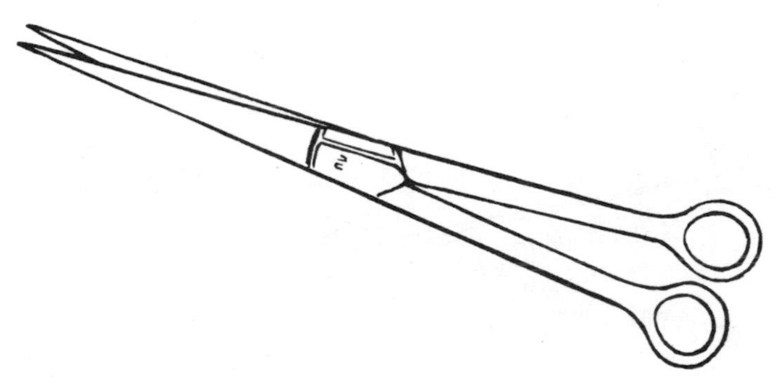

Tijeras cortas

Tijeras de entresacar: Este tipo de tijeras se usan cuando se desea dar al corte menos volumen en ciertas partes o cuando el estilo del corte lo requiere.

Hay dos tipos de tijeras de entresacar:

* *Tijeras dentadas sencillas*

* *Tijeras dentadas dobles.*

La diferencia es que las dentadas sencillas se usan cuando se requiere que el entresaque sea mayor. Si necesitas entresacar poca cantidad de cabello, usa las dentadas dobles.

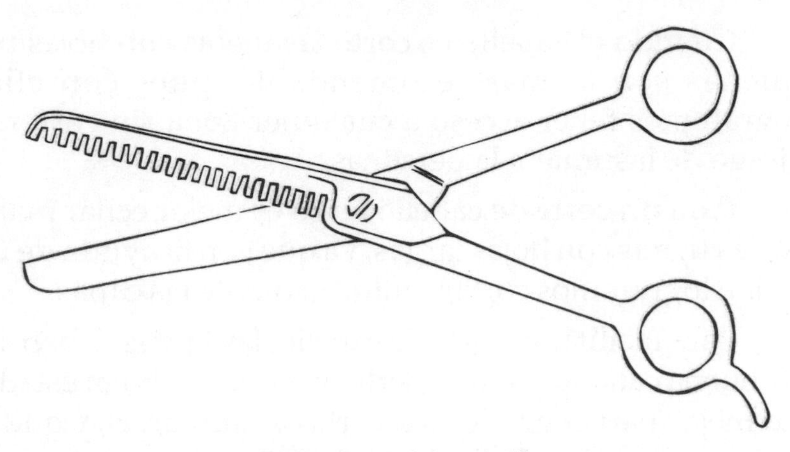

Tijeras dentadas sencillas

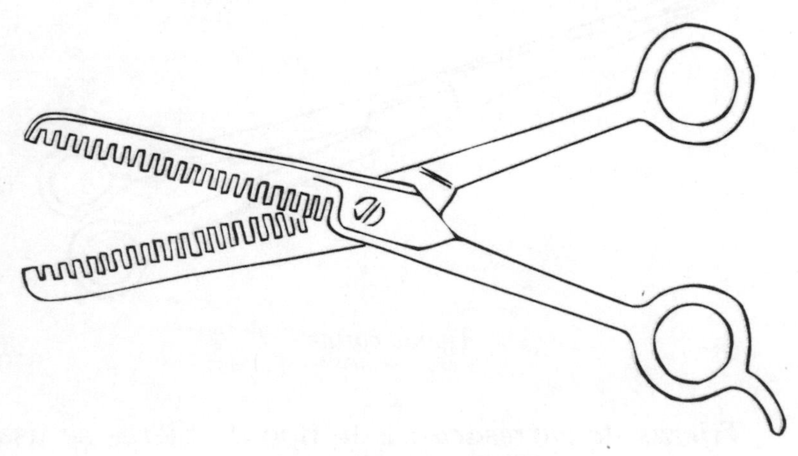

Tijeras dentadas dobles

Para poder usar este tipo de tijeras necesitarás de bastante práctica y tener siempre en cuenta los siguientes puntos:

*Cuando entresaques el cabello, debe ser a una distancia de 2.5 cm del cuero cabelludo.

* Siempre debes de entresacar en partes pequeñas e iguales.

* Las tijeras se pueden colocar en posición vertical u horizontal, siempre teniendo cuidado de no lastimar a nadie.

* Las tijeras también pueden colocarse de arriba hacia abajo, dejando las mismas distancias.

* Siempre se entresaca en la parte interior, dejando la parte superior más larga para cubrir lo entresacado.

* Se recomienda entresacar el cabello después de un permanente, de esta forma lograremos quitar volumen en la parte donde se requiere.

Recuerda que estas tijeras se utilizan en cortes donde hay que dar un efecto especial, cuando el corte es en cabello corto, o cuando el cabello es muy abundante.

En cabello largo no es recomendable su uso, pues en un par de semanas de crecimiento, se perderá la forma del corte.

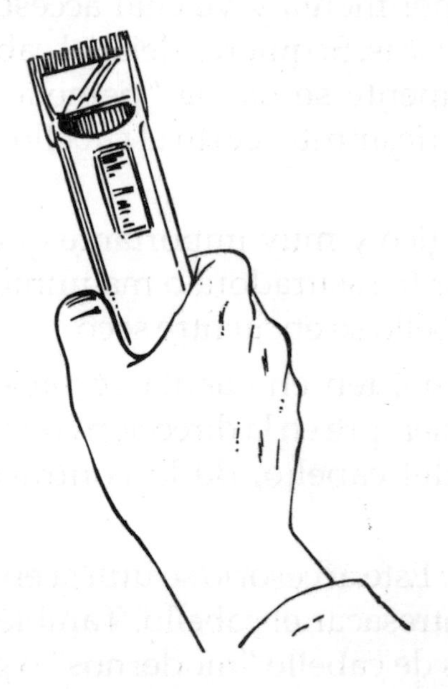

Rasuradora o maquinilla eléctrica

Rasuradora o Maquinilla Eléctrica: Este accesorio se usa para retocar patillas, bigotes, barbas y nuca. Asimismo, en la mayoría de las peluquerías, se usan en los cortes para caballero.

Si vas a utilizar la rasuradora en la parte del cuello, te recomiendo seguir la línea de crecimiento natural del cabello. Esto se debe llevar a cabo con suavidad y sin ejercer presión alguna, de lo contrario, se lastimaría o irritaría la piel.

En ocasiones pueden existir ciertos estilos de corte, donde el cabello va sumamente corto; en estos casos, te recomiendo echar mano de la rasuradora en lugar de las tijeras o la navaja.

Existen diversos accesorios que vienen con la rasuradora o maquinilla eléctrica. En el instructivo de la misma podrás observar cómo colocarlos y usarlos.

Ahora bien, para lograr dominar todos y cada uno de ellos, experimenta y ve cuál accesorio se adapta al estilo que buscas. Si quieres dejar el cabello un poco largo, generalmente se usa la "peineta" gruesa; y si tu intención es dejar muy corto el cabello, usa la "peineta" pequeña.

Algo lógico y muy importante que no debes dejar pasar al usar la rasuradora o maquinilla, es cerciorarte de que el cabello se encuentre seco.

Asimismo, ten en cuenta cortar el cabello con la rasuradora siempre en la dirección contraria al nacimiento natural del cabello, de lo contrario, el corte será disparejo.

Navaja: Este accesorio se utiliza en los cortes donde debemos entresacar el cabello. También puedes usarla en los cortes de cabello "modernos" o grafilados (generalmente los jóvenes de todas las épocas los usan).

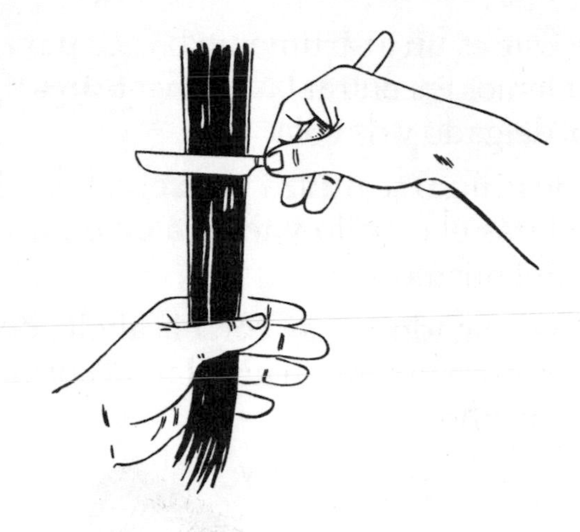

Navaja

La experiencia es básica en el uso de la navaja, pues como podrás imaginarlo, es peligroso usarla sin cuidado. En lo personal casi nunca utilizo la navaja (siempre hay niños inquietos que no pueden quedarse quietos ni un minuto). La rasuradora y unas buenas tijeras pueden lograr el mismo efecto y sin tantos riesgos.

Peine grueso

Peine: Éste es un instrumento básico para todo corte de pelo. Podemos encontrar básicamente tres tipos de peine: grueso, delgado y de cola.

El peine grueso se utiliza para el cabello largo. Con él desenredarás el cabello y te será de enorme utilidad en el corte del mismo.

El peine delgado se usa con el cabello corto. Generalmente siempre te será de utilidad al cortar el cabello en hombres y niños.

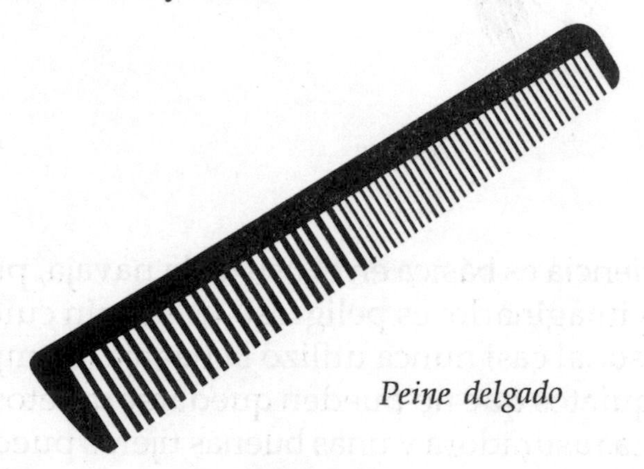

Peine delgado

Peine de cola

El peine de cola te servirá al momento de hacer las separaciones de cabello previo al corte.

Pinzas: Éstas, por lo regular, son de acero o plástico. Te serán de gran utilidad a la hora de hacer las separaciones de cabello antes de cada corte.

Lo ideal es contar con 4 o 6 pinzas para sujetar los mechones de cabello (esto depende del largo y del tipo de corte que deseas llevar a cabo).

Pinzas

Bata protectora: Antes de iniciar cualquier corte de pelo, debes contar con una bata protectora que cubra a la persona de los cabellos y la humedad.

Puedes encontrar una gran variedad de éstas; se recomienda que sean de plástico o nylon.

Rociador: Éste accesorio puede ser de plástico común y corriente. Te servirá para humedecer el cabello y lograr un mejor corte.

Muchas personas reciclan diversos rociadores; yo te recomiendo que compres uno nuevo, ya que si utilizas alguno que haya contenido ciertos elementos químicos, pueden quedar residuos que dañarán el cabello.

Secadora de pelo eléctrica: Una vez que se haya terminado el corte de cabello, es necesario secar y darle forma a éste. La mejor manera de hacerlo es con una secadora de pelo eléctrica.

En el mercado encontrarás muchas de ellas. Tu presupuesto y gusto te dictarán cuál es la que te conviene. No obstante, te recuerdo que "lo barato, suele salir caro". Si piensas dedicarte de manera profesional al corte de cabello, es mejor invertir en una buena secadora, que estar comprando a cada rato una nueva.

Secadora de pelo

Un consejo que siempre doy a mis amigas, es que después de bañarse o lavar el cabello, siempre deben de secarlo lo mejor posible con una toalla antes de hacerlo con la secadora. Con esto, lograrán secar su cabellera más rápido y sin exponerla tanto tiempo al aire caliente.

También, si eres de las personas que cada mañana usan la secadora de cabello para peinarse, lo mejor es usar lociones con poca cantidad de alcohol. Si tu cabello es rizado, lo mejor es usar un poco de acondicionador antes de usar la secadora de cabello.

Ahora bien, para secar el cabello en forma adecuada debes seguir estas sugerencias:

* Secar primero las puntas

* Mantener la secadora a una distancia de 20 cm aproximadamente

* Divide el cabello en secciones para secarlo

* Si el cabello es largo, toma pequeñas secciones con el cepillo y seca bien cada una de ellas

* Si el cabello es corto, las secciones pueden ser más gruesas

* Si tomas pequeñas secciones de cabello para secarlo y peinarlo, al final se verán mejores resultados

Nota: Enrollar mucho cabello en el cepillo es algo que en poco o nada ayuda a secarlo.

Tenazas eléctricas: Este accesorio es muy útil cuando el cabello es rizado; con ellas "suavizaremos" el rizo para lograr un mejor peinado, dándole mejor aspecto al corte.

Para usar las tenazas eléctricas, sigue los siguientes puntos:

* El cabello debe estar completamente seco

* Enrolla el cabello en pequeñas secciones

* Para evitar quemar el cabello enróllalo en las tenazas y cuenta hasta "diez"; verifica que el cabello no esté demasiado caliente

* Antes de cepillar el rizo, debes dejar que se enfríe

Son ideales para las personas con cabello corto; no obstante, cuando el cabello es largo, pueden utilizarse las tenazas eléctricas en las puntas para levantar éstas.

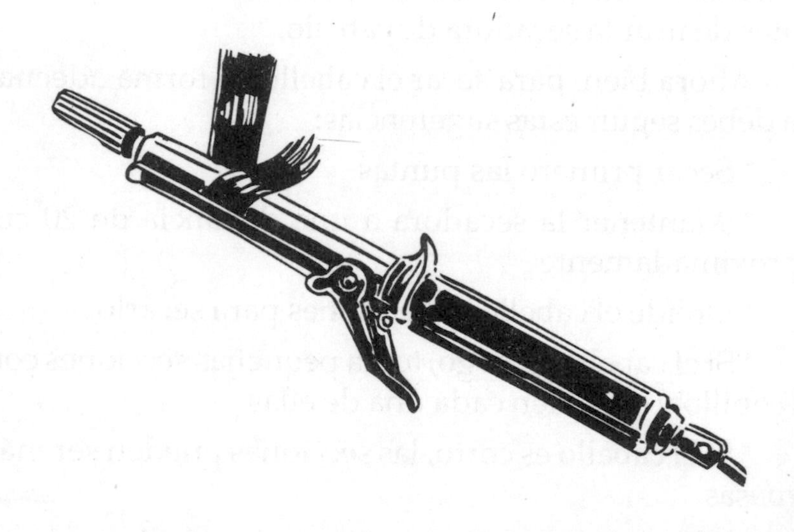

Tenazas Electricas

Cepillo: Éste es, quizá, el accesorio más importante a la hora de finalizar el corte o el peinado. Puedes encontrar una inmensa variedad de cepillos en el mercado. No obstante, son tres los tipos de cepillos que se necesitan: Semicircular, Abierto o Ventilado y Redondo (todos varían en tamaño).

El cepillo semicircular es ideal para darle forma al cabello una vez finalizado el corte.

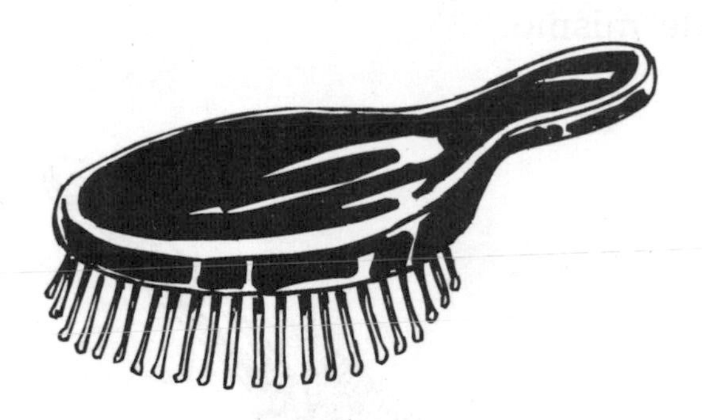

Cepillo semicircular

El cepillo abierto o ventilado se usa a la hora de secar el cabello, pues su forma logra que el aire pase entre el cabello a la hora del cepillarlo, secándolo más rápido.

Cepillo abierto o ventilado

El cepillo redondo es el que siempre uso para darle volumen y dirección al cabello, dando una apariencia natural del mismo.

Cepillo redondo

Como te mencioné antes, puedes encontrar estos cepillos en diversos tamaños, desde muy pequeños, hasta exageradamente grandes. Todos tienen un propósito, y la experiencia en el corte y peinado te irá indicando cuál tamaño es el mejor para cada tipo de cabello. Obviamente, mientras más cabello tenga la persona, más grande tendrá que ser el cepillo.

Capítulo 3

FUNDAMENTOS PARA EL CORTE DE CABELLO

El éxito en un corte de cabello siempre irá de la mano con las características del rostro y el tipo de cabello que la persona presente.

Observa con detenimiento los rasgos faciales de la persona, así como su color de piel, estatura, peso, edad, estilo de vida y tipo de cabello.

Si somos lo suficientemente observadores de estos detalles, podremos ser capaces de sugerir a la persona el corte de cabello y peinado que más le convenga.

Sin embargo, muchas veces las personas desean verse de tal o cual manera sin importarles las características propias.

Por ejemplo, una mujer puede querer tener el peinado de alguna estrella de cine, pero no se ha puesto a pensar que ella no tiene el mismo tipo de cabello y que tampoco su fisonomía se asemeja a la de su artista favorita.

En estos casos, es necesario explicarle y mostrarle frente a un espejo las limitaciones que existen y que lo mejor sería aprovechar las características propias para sacar un mejor partido.

Yo siempre recomiendo a las personas que quieren aprender a cortar el cabello, que tengan a la mano revistas o fotografías con cortes de cabello y tipos de rostros diferentes, con ello, podrán mostrar físicamente a las personas qué es lo más adecuado para ellas. No olvides que "de la vista, nace el amor".

Aprende a visualizar los cambios que requiere la persona para mejorar su apariencia. Siéntala frente a un espejo, toma su cabello con tus manos y recógelo; o coloca el cabello hacia los lados de la cara sobre sus orejas y observa qué queda mejor.

Por ejemplo, si la cara es larga, por lo general se necesitará volumen a los lados. Cuando la cara es redonda, el volumen se dará en la parte superior.

Es muy importante siempre manifestar tus opiniones y consejos con la persona, de esta manera, habrá un intercambio de ideas, y de ello, seguramente saldrá un trabajo que deje satisfechos los deseos de ella y de ti.

LAS 7 ESTRUCTIRAS FACIALES

Por lo general, siempre encontraremos siete estructuras faciales básicas. No obstante, puedes llegar a encontrarte rostros con características de dos o hasta tres de estas estructuras. En estos casos, trata de ver cuál es la predominante y experimenta con diversos estilos.

Las estructuras son las siguientes:

1. Alargada
2. Redonda
3. Cuadrada
4. Ovalada

5. Triangular
6. Diamante
7. Corazón

Alargada: Este tipo de faz el larga y delgada. Para que este tipo de rostro luzca, debemos de usar cortes que ofrezcan cabello corto en la parte superior de la cabeza y con volumen a los lados.

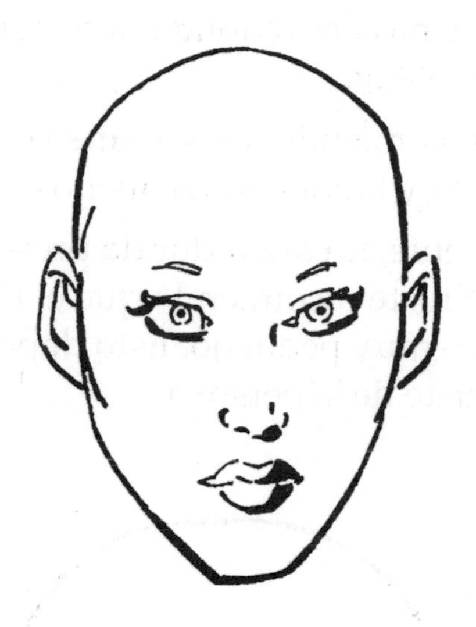

Cara alargada

Para lograr "acortar" la cara con el corte, te recomiendo que dejes un flequillo en la frente.

Lo que más conviene a este tipo de rostro, es el cabello corto o mediano (a la altura del cuello).

Los cortes de cabello más recomendados para una cara alargada son:

* Corto en capas

* Corto en capas en la parte superior y largo en capas en los lados y en la parte posterior

* Largo en capas

* Capas en la parte superior y parejo en la parte posterior

* Parejo (tipo príncipe)

* Hongo

Redonda: Una cara redonda necesitará "alargarse" y atenuar las mejillas.

Para ello recomiendo dar volumen en la parte superior de la cabeza y tapar con el cabello orejas y mejillas.

Generalmente, la cara redonda presenta una frente angosta. Por ello, te recomiendo que el fleco en el corte sea en capitas o muy pequeño. Esto dependerá del tipo de cabello y gusto de la persona.

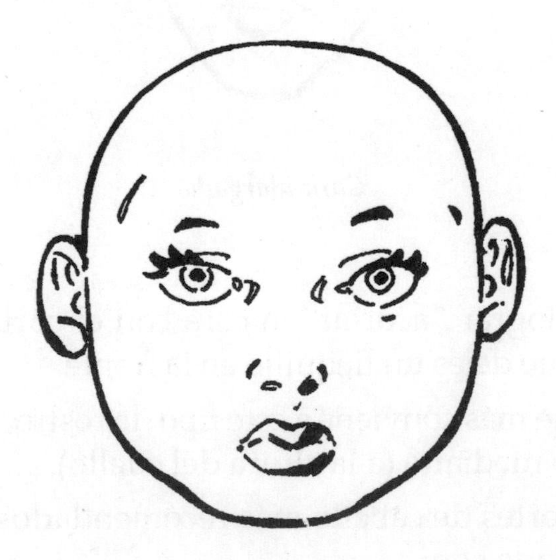

Cara redonda

Los cortes de cabello más recomendados para una cara redonda son:

* Corto en capas

* Corto en capas en la parte superior y largo en capas a los lados

* Largo en capas

Cuadrada: Este tipo de cara se verá beneficiada con cortes de cabello que logren dar la impresión de hacerla más larga y que "reduzcan" el ancho de la mandíbula.

Es recomendable con este tipo de faz añadir volumen en la parte superior de la cabeza.

Un fleco y capas a los lados, son lo más indicado para estas personas.

La mandíbula cuadrada (característica principal de este tipo de rostro), la podemos atenuar o "tapar" con un cabello largo.

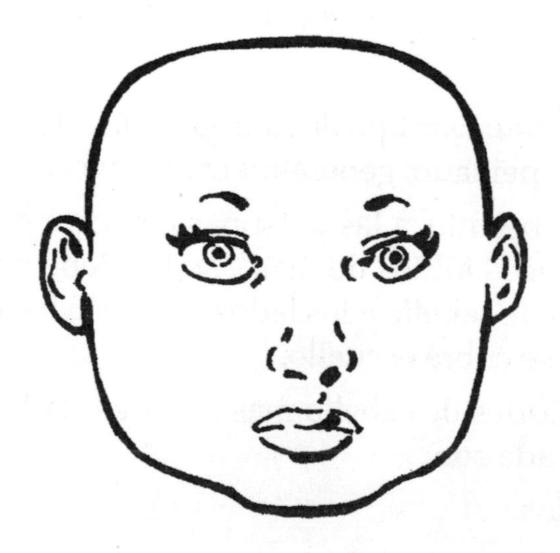

Cara cuadrada

Los cortes de cabello más recomendados para una cara cuadrada son:

* Parejo (tipo príncipe)

* Corto en capas en la parte superior y largo en capas a los lados

* Largo en capas

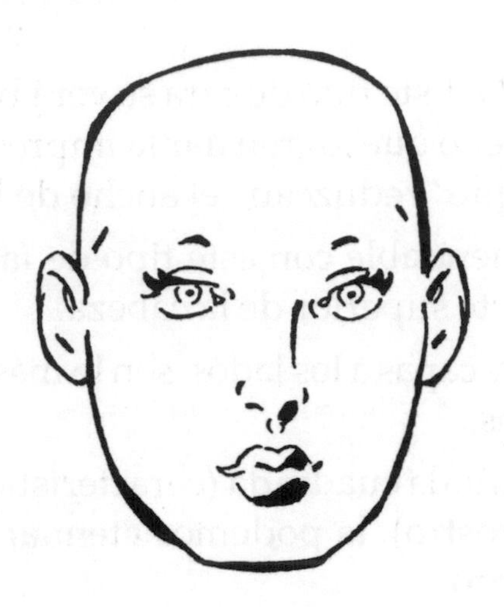

Cara ovalada

Ovalada: Este tipo de cara es la ideal. Cualquier tipo de corte y peinado, generalmente la favorecen.

No obstante, a las personas con cara ovalada que tengan unos "kilitos de más", se les debe de cortar un poco más de cabello a los lados o dejarlo bastante largo para que se cubra el cuello.

Los cortes de cabello más recomendados para una cara ovalada son:

*Todos.

No temas experimentar y probar cosas atrevidas con estas personas; te aseguro que ¡nunca fallarás!

Triangular: Las características de este tipo de cara son: frente estrecha y mandíbula, mejillas y mentón anchos. Lo mejor que puedes hacer por estas personas es darles volumen en la parte superior de la cabeza.

El corte de cabello que "envuelve" la cara es el que más favorece a este tipo de rostros.

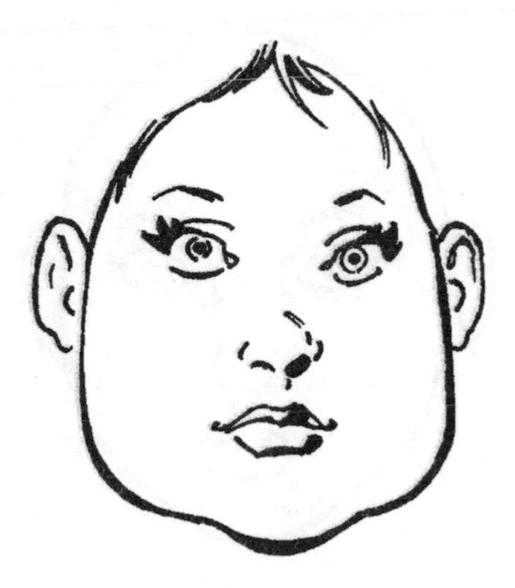

Cara triangular

Los cortes de cabello más recomendados para una cara triangular son:

* Corto en capas

* Corto en capas en la parte superior y largo en capas a los lados

* Corto en capas en la parte posterior y a los lados, y parejo en la parte posterior

Diamante: Las caras en forma de diamante son las que presentan una frente estrecha, una parte media de la cara (pómulos) ancha y una mandíbula estrecha.

Por lo general, este tipo de caras dan la impresión de ser alargadas. Pon atención y no confundas un rostro en forma de diamante y uno alargado.

Lo recomendable para favorecer este tipo de caras, es dejar un fleco discreto y cubrir los pómulos con el cabello lateral.

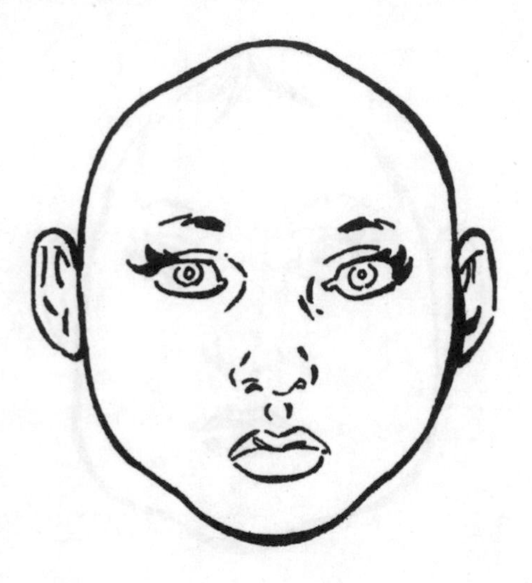

Cara diamante

Los cortes de cabello más recomendados para una cara en forma de diamante son:

* Corto en capas

* Largo en capas

* Corto en capas en la parte superior y largo en capas a los lados

* Hongo

Corazón: Una frente amplia y una mandíbula redonda y angosta, son las características de este tipo de faz.

Para "disimular" la marcada línea de la mandíbula, podemos echar mano del cabello largo.

Asimismo, un peinado con la raya al lado y un fleco, harán lucir más "delgada" la frente.

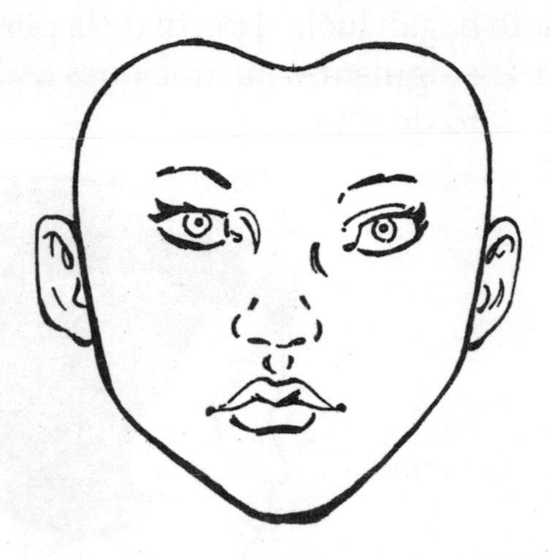

Cara corazón

Cuando tengas frente a ti a una persona con las características de un rostro de corazón, los cortes de cabello más recomendados para una cara con esta forma tan particular son:

* Parejo (estilo príncipe)

* Largo en capas

PERFILES

Los perfiles que presentan las personas antes de un corte de pelo, son de suma importancia y siempre hay que considerarlos para que el corte sea el adecuado.

Cuando una persona llega a cortarse el cabello, por lo general, lo humedezco un poco y lo peino hacia atrás para observar el tipo de perfil de la persona. Con ello, logro dar el consejo adecuado.

La intención de este procedimiento, es lograr que el corte y peinado hagan lucir el perfil de la persona lo más recto posible. Las siguientes ilustraciones te darán un panorama más claro de esto.

Rostro recto, peinado hacia atrás

Rostro recto peinado

Rostro cóncavo, pelo hacia atrás

Rostro cóncavo, peinado

Rostro cónvexo, pelo hacia atrás

Rostro convexo, peinado

Cuando una persona es baja de estatura, lo más recomendable es darle volumen a la parte superior de su cabeza y evitar un corte de cabello largo. Por el contrario, si la persona es alta, el corte de cabello largo le favorecerá.

Para resaltar los pómulos y los ojos de una persona, lo mejor es peinar hacia atrás el cabello. Pero si lo que se quiere resaltar es la nariz o la boca, deberás echar el cabello hacia delante.

Estos consejos son generales; no obstante, debes de tener en cuenta que para toda regla hay siempre una excepción. Analiza con cuidado a cada persona, saca lo mejor de sus cualidades y oculta o atenúa sus defectos físicos.

LA CABEZA Y SUS PARTES

Para realizar un corte de cabello, debes de estar familiarizado con las partes de la cabeza, así como con los términos que comúnmente se utilizan en el "argot" de los estilistas.

Las siguientes ilustraciones te serán de enorme ayuda.

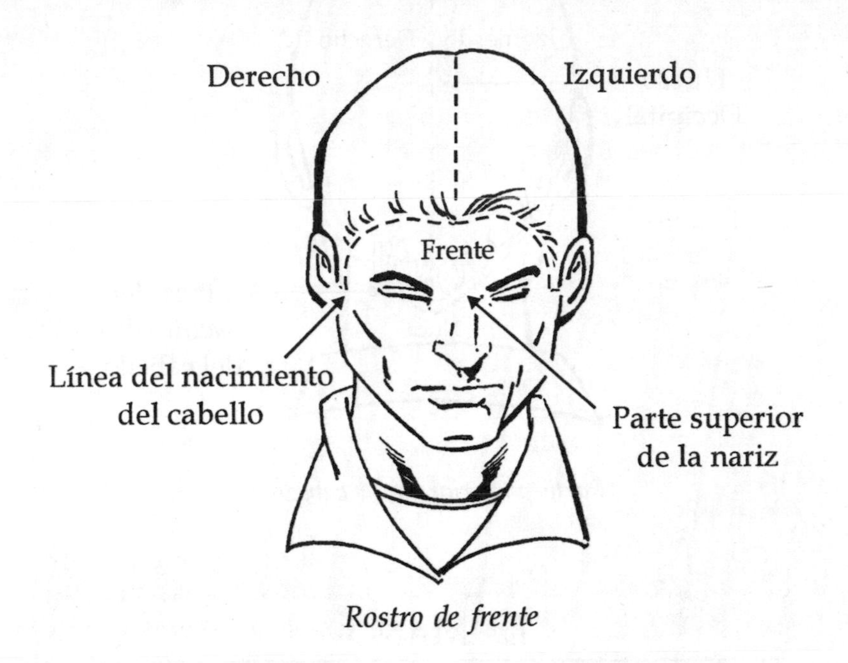

Rostro de frente

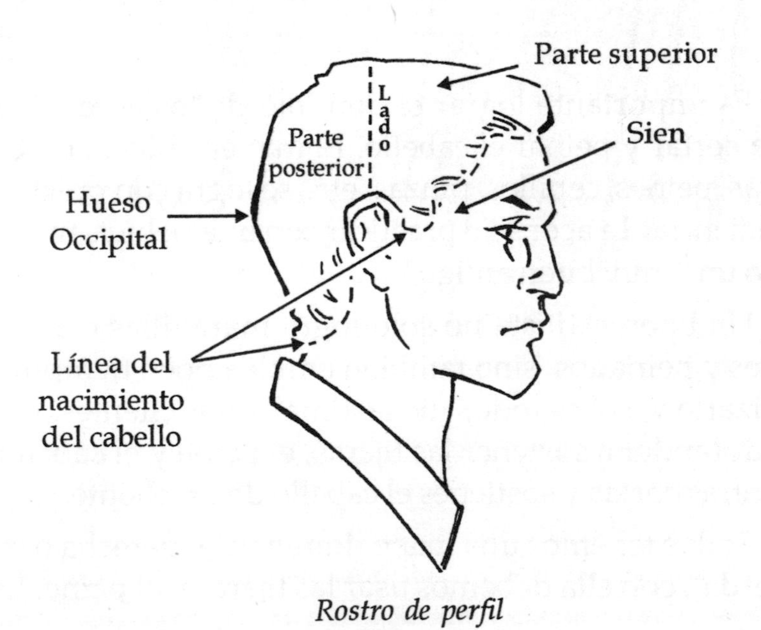

Rostro de perfil

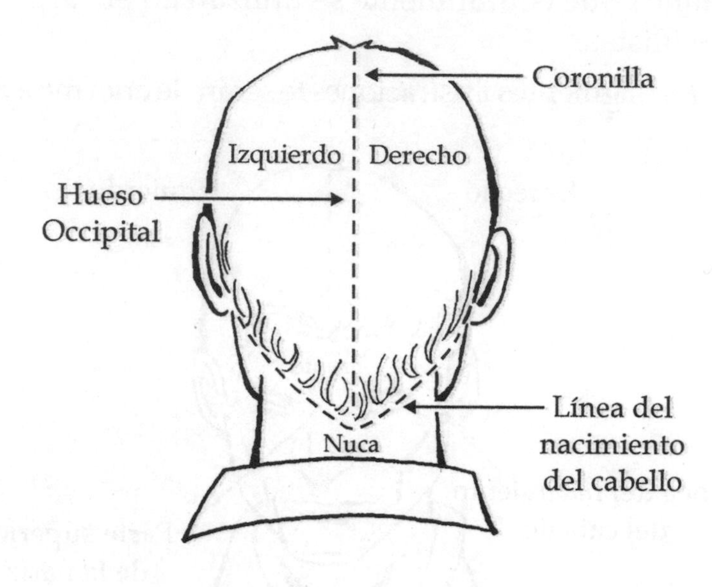

Parte posterior de la cabeza

LA MANO

Es importante lograr el dominio de los accesorios para cortar y peinar el cabello. El manejo adecuado de tijeras, peines, cepillos, pinzas, etc., se logra con práctica y paciencia. Te aconsejo practicar con una peluca, maniquí o un "muy buen amigo".

Un buen estilista no sólo logra maravillas con los cortes y peinados, sino también emplea poco tiempo al realizarlo y, sobre todo, "no lastima" a sus clientes. Debes aprender a sostener las tijeras, el peine y el cabello, mientras cortas y sostienes el cabello de un cliente.

Todos tenemos una mano dominante (derecha o izquierda), con ella debemos usar las tijeras y el peine. La otra mano es la que nos ayudará a sostener el cabello que vamos a cortar y a sujetar el peine mientras llevamos a cabo esta función.

Las siguientes ilustraciones te mostrarán las partes de la mano que se utilizan a la hora de hacer un corte de cabello.

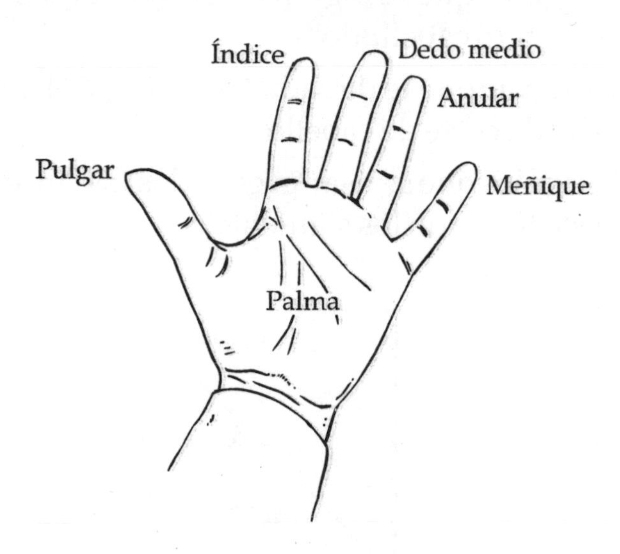

Palma de la mano

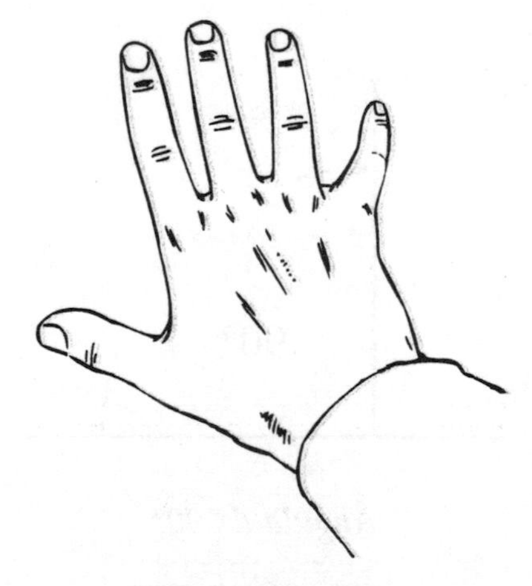

Dorso de la mano

ÁNGULOS

Para lograr entender las indicaciones que se te harán al realizar cada corte, es importante conocer los tres tipos de ángulos que se logran al levantar el cabello con respecto al cuero cabelludo.

La distancia que te da cada ángulo será el largo que desees en cada corte de cabello.

Los ángulos que se usarán en todos los cortes de cabello de este libro son los siguientes:

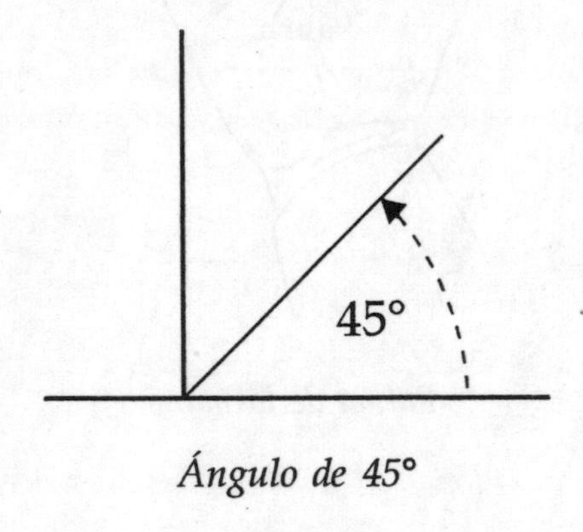

Ángulo de 45°

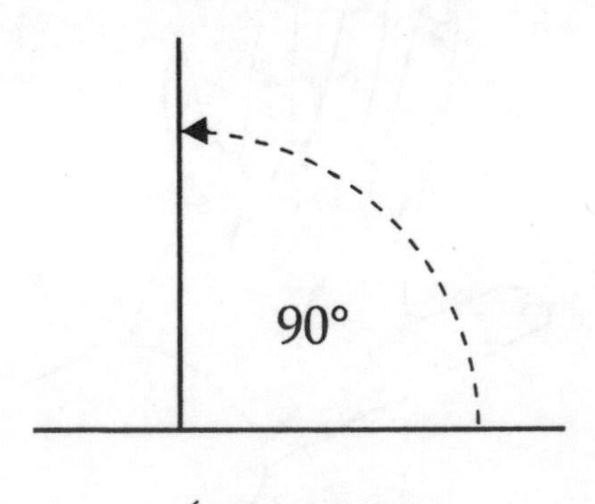

Ángulo de 90°

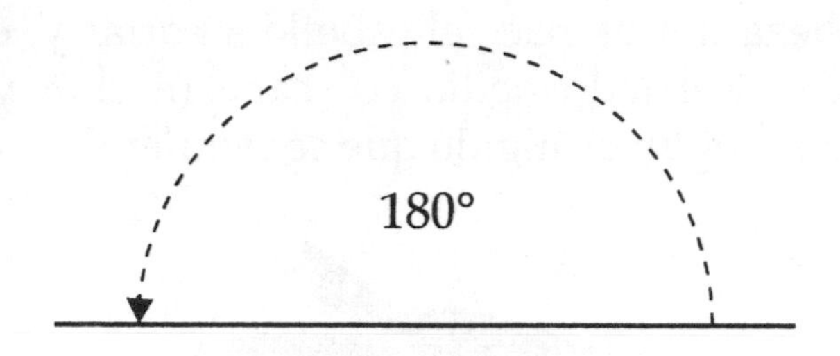

Ángulo de 180°

Cuando se te pida que levantes el cabello a 45°, 90° ó 180°, siempre debes de tomar como base el cuero cabelludo donde se encuentra el cabello que tomes.

Esto es, si el cabello lo tomas de la coronilla, imagina una línea recta que la atraviesa y parte de ahí.

Para que esto te sea más claro, observa detenidamente cada una de las siguientes ilustraciones que te presentamos a continuación:

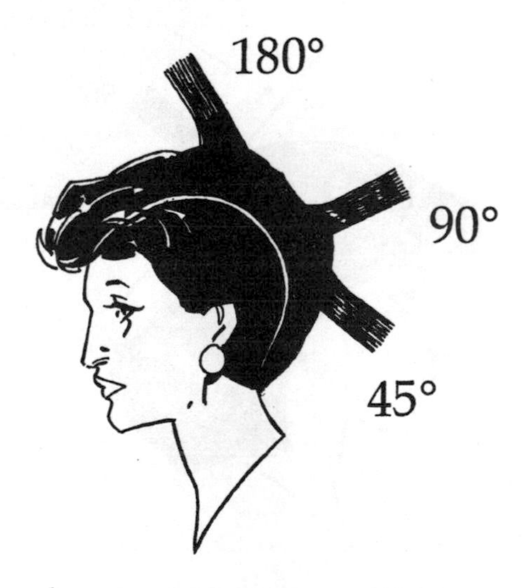

Ángulos de 45°, 90° y 180°

Otra forma de lograr levantar el cabello al ángulo deseado, es colocar la palma de la mano sobre la parte de la cabeza donde nace el cabello a cortar y, entre el dedo índice y el dedo medio, colocar el mechón y levantar la mano según el ángulo que se requiera.

Caída del cabello en un ángulo de 45°

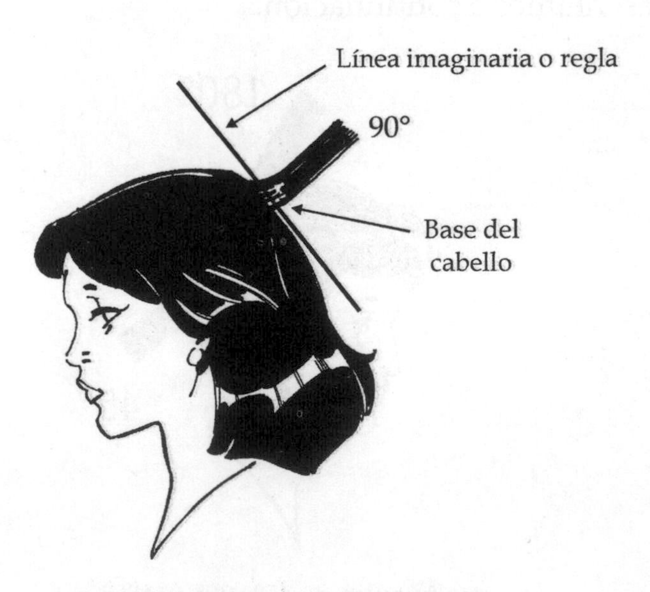

Línea imaginaria en ángulo de 90°

Caída del cabello en un ángulo de 90°

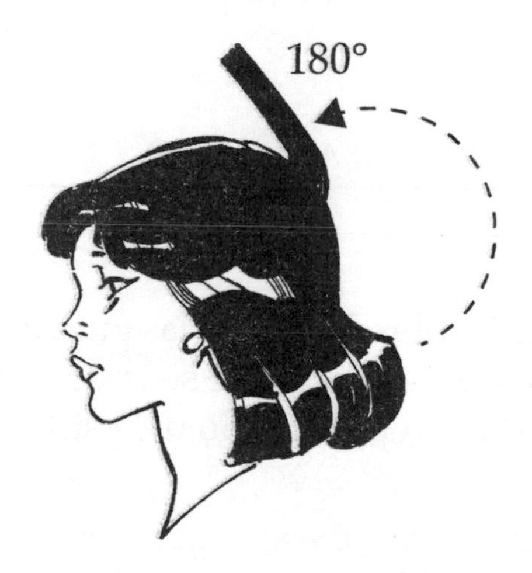

Mechón de cabello a 180°

Una variación para lograr el corte de cabello parejo (tipo príncipe), es el que se conoce como "elevación 0". Cuando se te indique este tipo de corte, debes hacerlo sin levantar el cabello. Este debe ser de un mismo largo y no lleva capas. Observa la siguiente ilustración:

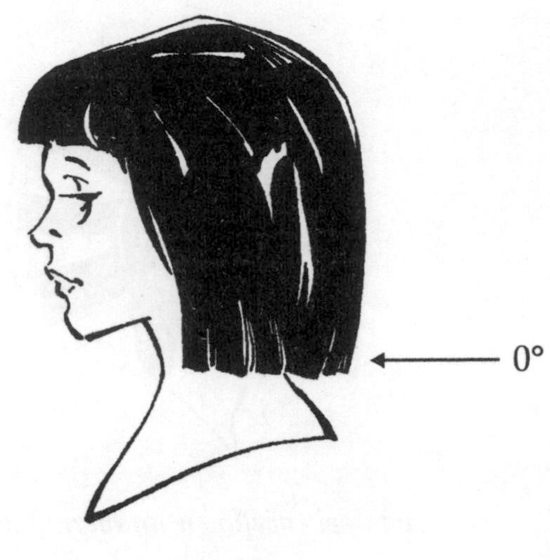

Elevación 0°

Las Guías

Como su nombre lo indica, las guías son los puntos que nos indicarán el largo que se le debe de dar a cada corte de cabello, dependiendo del estilo que se lleve a cabo.

Estas guías te ayudarán a que tus cortes de cabello sean parejos. Trata de memorizarlas lo antes posible para que no tengas que regresar a esta parte del libro constantemente.

Contorno o perímetro: Cuando nos referimos al contorno o perímetro, estamos hablando acerca del borde en el corte del cabello, y nos indicará el largo que tendrá éste alrededor de la cara, a los lados y en la parte posterior de la cabeza.

Contorno o perímetro

Boca, mandíbula y mentón: Esta guía te va a servir cuando lleves a cabo el corte de pelo parejo (estilo príncipe), o cuando el largo de capa sea a esa altura.

Boca, mandíbula y mentón

Capa superior: Esta guía te indicará qué tan largo debes de cortar las capas posteriores y de los lados.

Capa superior

Cejas: Cuando llegue el momento de cortar el fleco, la guía que deberás de tomar en cuenta son las cejas. Dependiendo del estilo de corte que lleves a cabo, el corte puede ser por encima, a nivel o por debajo de las cejas.

Por encima de las cejas

Por debajo de las cejas

Hombros: Esta guía, lógicamente, se usa como referencia para cortar un cabello largo. Al igual que en la cejas, puede cortarse por encima, al nivel o por debajo de los hombros.

Hombros

Hueso occipital: Esta guía sirve como punto para cortar las capas de cabello en un corte de "hongo". También sirve para indicar las separaciones en el corte parejo (tipo príncipe).

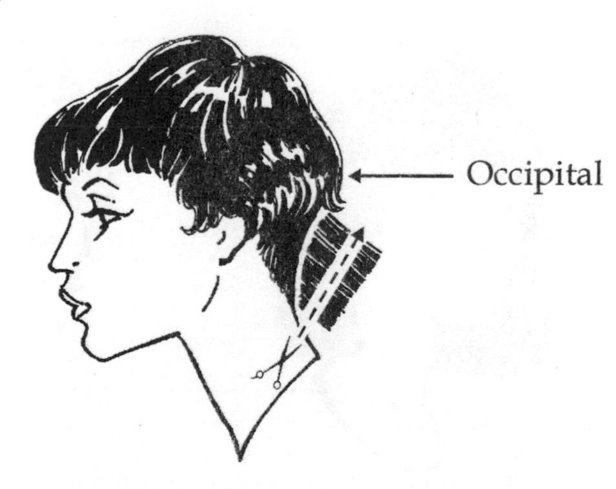

Hueso Occipital

Línea del nacimiento del cabello: Como su nombre lo indica, es toda la línea alrededor de nuestra cabeza donde nace el cabello. Puedes tomar esta guía como referencia para cortar el contorno o perímetro. Ten cuidado de no hacerlo demasiado corto, ya que en lugar de que el cabello quede asentado, se "parará" irremediablemente.

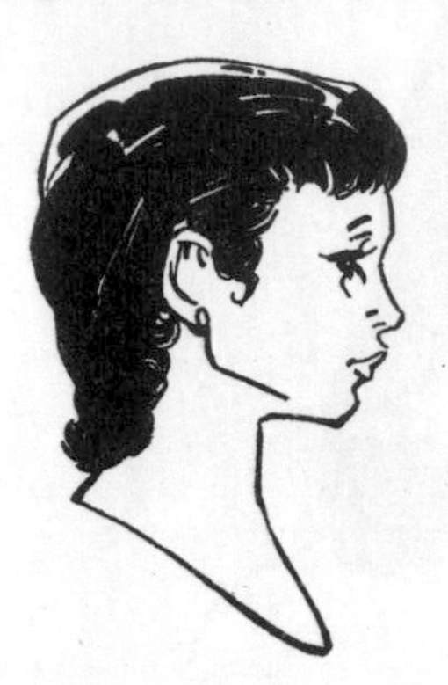
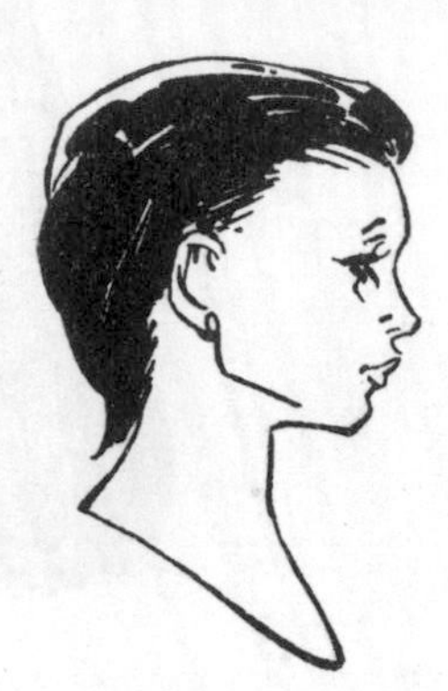

Línea del nacimiento del cabello

Nariz: Esta guía sirve para centrar la capa superior y dar el largo deseado al cabello en la parte frontal. El largo del frente puede ser donde inicia la nariz, en la parte media o en la punta de la misma, dependiendo del estilo que se requiera.

Nariz

Orejas: Cuando se trate del largo de los lados, las orejas son la referencia lógica. El largo puede ser por encima, a la mitad y por debajo de ellas.

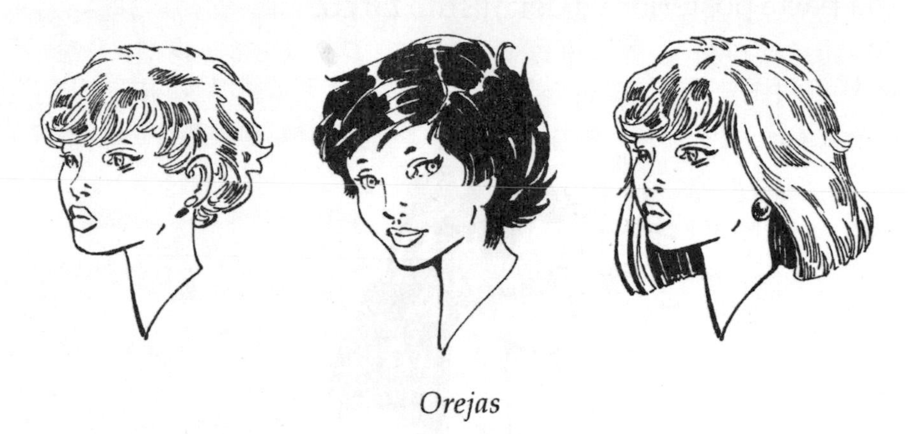

Orejas

Puntos de referencia: Estos puntos son dos, el que se encuentra a nivel de la coronilla, y el que está en la parte superior de la cabeza.

El punto de la coronilla te servirá para darle el mismo largo a las capas en la parte posterior, a los lados y en la parte superior de la cabeza. Es la guía correcta para el corte de cabello corto en capas y el corte largo con capas.

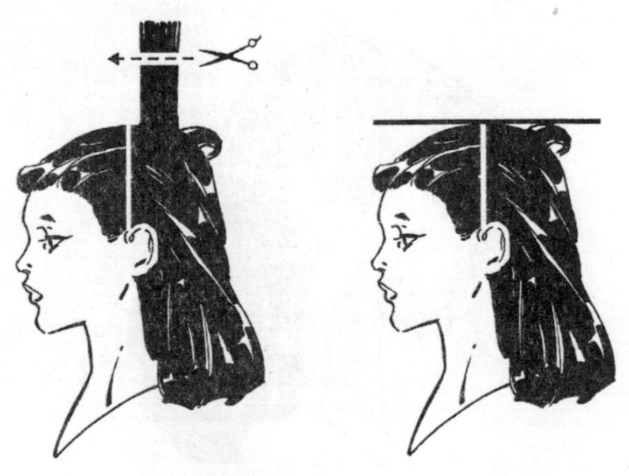

Puntos de referencia de la coronilla

El punto en la parte superior de la cabeza también es la referencia para dar el mismo largo al cortar el cabello en capas, pero sólo en la parte superior y a los lados; la parte posterior va del mismo largo.

Punto de referencia parte superior

Sienes: Esta guía nos indica la unión entre el perímetro de los lados con la frente. Si lo que buscas es dejar más largo el cabello, haz el corte debajo de las sienes. Esta guía también se utiliza para hacer la división del triángulo en la parte superior de la cabeza, con la cual podrás cortar el fleco en la forma en que lo desees.

Sienes

Capítulo 4

CORTES DE CABELLO

Una vez que ya sabes cómo manejar las tijeras y demás accesorios, qué tipo de corte va con cada cara, las guías que existen y los ángulos que debes de tomar en cuenta para un corte de cabello, es hora de iniciarte en el fascinante y creativo mundo del corte de cabello.

La técnica que he usado a lo largo de mi carrera, además de ser sencilla y fácil de aplicar, siempre me ha dado excelente resultados; por ello me gustaría compartirla contigo para que, una vez dominada, sea tu punto de partida para crear nuevos y emocionantes cortes de cabello.

Sigue paso a paso esta técnica y verás que muy pronto -quizá antes de lo que imaginas- estarás haciendo cortes sin recurrir a este libro.

Nunca olvides que la pericia en el corte y la rapidez del mismo dependen únicamente de la experiencia adquirida.

Con paciencia y cariño por lo que haces, pronto te volverás una verdadera experta.

Son tres los cortes de cabello básicos:

* Corto en capas

* Parejo (estilo príncipe)

* Largo con capas.

De estos cortes se desprenden todos los demás cortes de cabello.

Por lo general, y para iniciar sin tantas complicaciones, te mostraré estos tres cortes y sus variaciones más comunes; con ellos lograrás dominar siete cortes de cabello.

Una vez hecho esto, seguramente tu creatividad y el conocimiento adquirido te ayudarán para hacer tus propias "creaciones".

Los siete tipos de corte de cabello que veremos en este capítulo son:

1. Corto en capa
2. Largo en capas
3. Hongo
4. Parejo (tipo príncipe)
5. (Mixto I) Corto en capas en la parte superior, lados en capas largas, y parejo en la parte posterior
6. (Mixto II) Corto en capas en la parte superior, corto en capas a los lados, y parejo parte posterior
7. (Mixto III) Corto en capas en la parte superior, corto en capas a los lados, y capas largas en la parte posterior

CAPAS

Cuando se habla de capas en el cabello nos referimos a las progresiones en el corte de cabello que van de corto a largo. Si tu intención es dar un efecto de capas en el cabello, toma pequeñas secciones del mismo con tus dedos índice y medio, y córtalas.

Dependiendo del ángulo que le des al cabello antes de cortarlo lograrás largos diferentes en las capas y, de esta manera, distintos cortes.

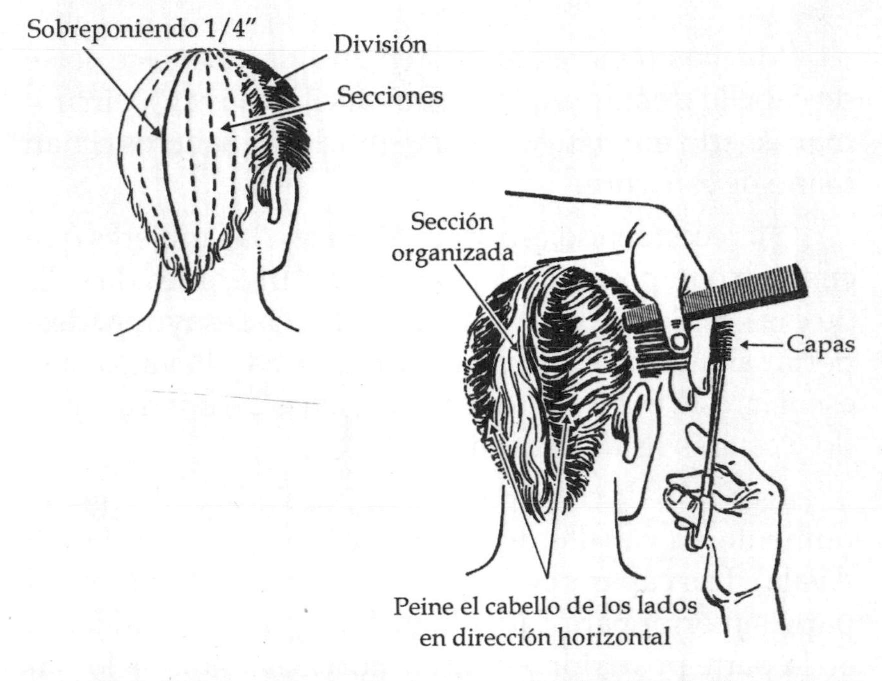

Para hacer un corte en capas, divide el cabello y toma una sección pequeña de cabello de aproximadamente 3 a 4 cm.

Recuerda que para tener un corte más parejo y preciso, es mejor tomar pequeñas secciones de cabello.

El corte de cabello se puede hacer en cualquier dirección y a cualquier ángulo, siempre tomando en cuenta el tipo de efecto que se le desea dar al cabello.

No obstante, yo siempre recomiendo que el corte en capas de la parte posterior de la cabeza se haga de abajo hacia arriba.

LOS 7 CORTES BÁSICOS

CORTO EN CAPAS

Muchas mujeres se sienten atraídas con este corte de cabello debido a que es muy fácil de lavar, peinar y mantenerlo en su lugar. Asimismo, los caballeros echan mano de este corte

Yo recomiendo este tipo de corte a las mujeres que cuentan con poco tiempo para arreglarse antes de salir de casa. Si tienes que levantarte y hacer desayuno, despertar al marido y a los hijos, arreglarlos y llevarlos a la escuela, éste es el corte que te conviene. Un buen cepillado y estarás lista para salir.

Este tipo de corte puede ir demasiado corto (generalmente en caballeros) o un poco largo (estilo Lolita Ayala). Las capas pueden ser un poco más largas en la parte superior para dar volumen, manteniendo el largo en la parte posterior y dejando cortas las capas a los lados.

También puedes llevar a cabo este mismo corte y dejar la parte posterior y los lados más cortos, y la parte superior más larga, o si lo prefieres, hacerlo corto en la parte superior, a los lados y atrás.

Como podrás darte cuenta, las variaciones en cada uno de los puntos de la cabeza (parte superior, parte posterior y lados), te pueden dar una gran variedad en este corte de cabello; claro, tratando que el corte sea armonioso y no vaya a quedar disparejo.

Pasos a seguir:

Primero debes mojar el cabello, desenredarlo y dividirlo.

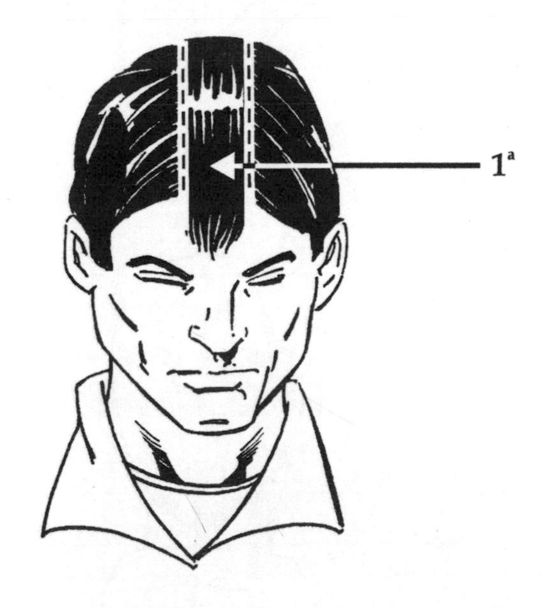

División frente

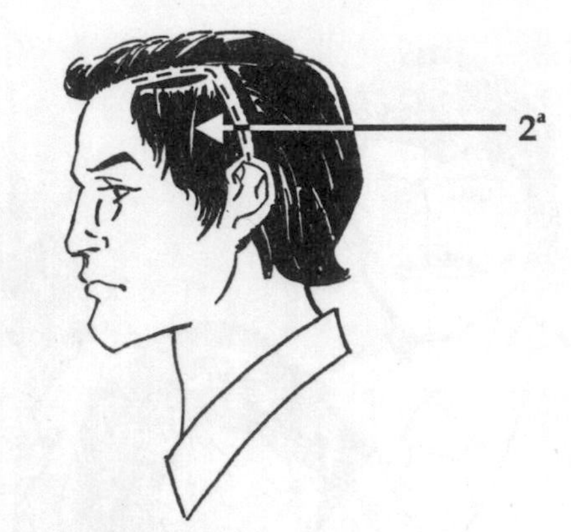

División perfil izquierdo

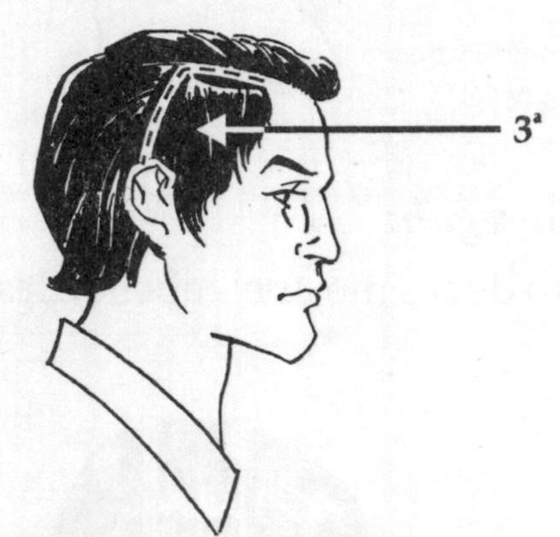

División perfil derecho

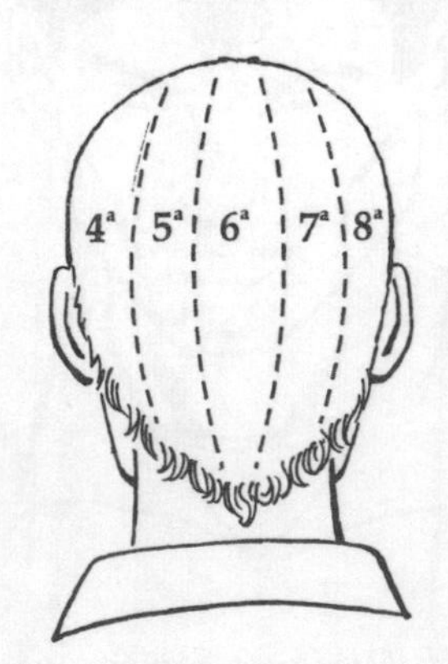

División parte posterior

Después cortas el perímetro del cabello (frente, lados y parte posterior) dependiendo del largo deseado y tomando como referencia las siguientes guías: línea del nacimiento del cabello, nariz (parte superior), cejas, orejas, contorno o perímetro.

Cortando el perímetro

Toma las pequeñas secciones del cabello y corta las capas en un ángulo de 90°, tomando como referencia las siguientes guías: control de la coronilla, nariz, sección superior, y secciones y capas.

El mechón que cortes en la parte de la coronilla será la guía que seguirás para el largo de las demás capas, ya sea para dar volumen al frente (dejar más largo), o para quitar volumen en la parte superior (dejar más corto).

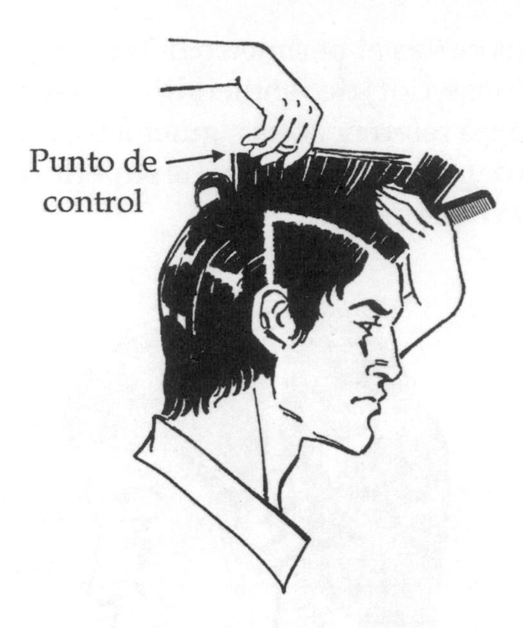

Corte en capas parte superior perfil

Corte en capas parte superior frente

Conforme vayas cortando las secciones a 90°, verifica que el largo en la parte del nacimiento del cabello coincida con el largo del punto de control que se encuentra en la parte superior de la cabeza (coronilla).

Coincidencia del largo del cabello

Para cortar los lados en capas cortas, ponte de pie detrás de la persona (a su lado derecho o izquierdo, dependiendo del lado que vas a cortar), de esta manera tendrás una mejor visión de la guía y elevarás tu ángulo correctamente.

Haz la división de oreja a oreja y corta pequeñas secciones a la vez, siempre tomando como referencia el largo de la coronilla. El corte lo harás desde el perímetro y con dirección a la parte superior de la cabeza (siempre en un ángulo de 90°).

Si no quieres que un lado quede más corto que otro, asegúrate que la elevación sea la misma en ambos lados de la cabeza. Cada pequeño corte que hagas a los lados te servirá como guía para el siguiente.

Corte en capas, lado derecho

Corte en capas, lado izquierdo

Las diversas secciones para cortar la parte posterior de la cabeza varían dependiendo del tamaño de cabeza. Por ejemplo, la cabeza de un niño necesitará menos secciones (2 ó 3) que la de un adulto (5 ó más).

Una vez que tienes las secciones necesarias, ponte detrás de la persona y toma pequeños mechones entre tus dedos índice y medio y, elevando desde la línea del nacimiento a un ángulo de 90°, corta cada uno de ellos hacia arriba, de manera que puedas verificar que este corte coincida con el largo de la parte superior. Este se hará de manera progresiva de izquierda a derecha o viceversa.

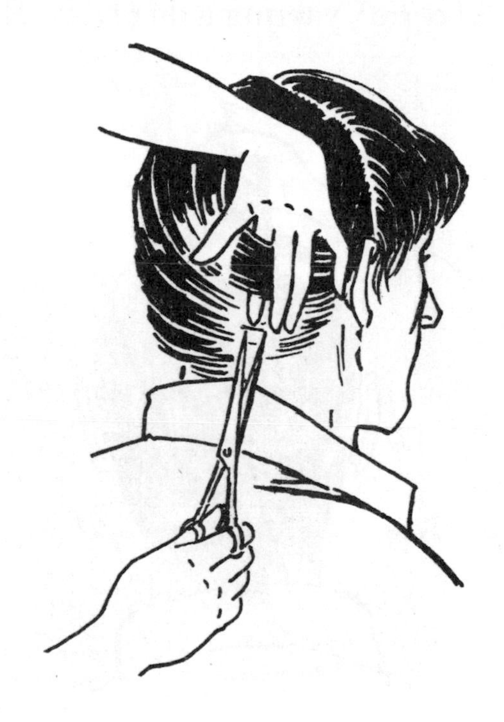

Corte en capas parte posterior

Revisando el corte: Una vez que hayas terminado los seis pasos anteriores, deberás verificar que el corte en las diferentes secciones esté parejo.

Para hacerlo, primero colócate atrás de la persona y sigue las siguientes instrucciones:

Para la coronilla: Toma un mechón de la coronilla, levantándolo a un ángulo de 90°. Si el corte ha sido bien hecho, entonces lograrás observar el cabello recto. Si está disparejo de un lado el mechón, te indica que el corte en ese lado de la cabeza es más largo.

Si esto sucede, hay que hacer el corte siguiendo todos los pasos. Si sólo encuentras una sección dispareja no es necesario empezar todo de nuevo, toma las tijeras y "empareja el corte", y termina de revisar el corte.

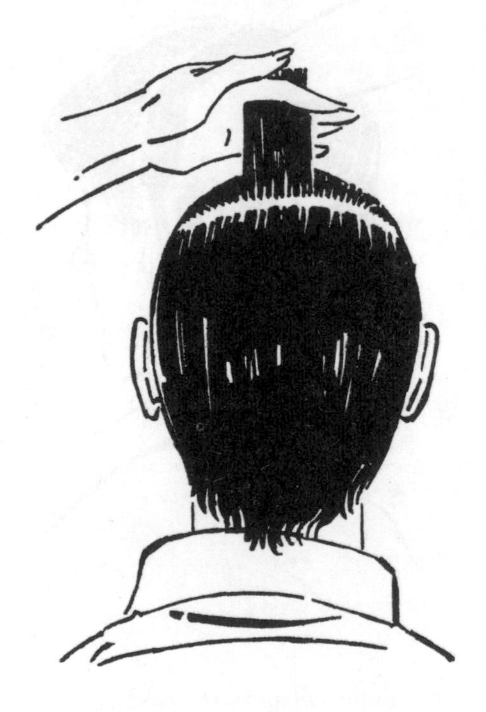

Revisando la coronilla

Para la parte superior: Haz una sección o división en la parte superior (como se indica en la ilustración) y divídela en tres partes. Revisa el cabello en cada una a un ángulo de 90°, siempre siguiendo la dirección de arriba hacia abajo (coronilla al frente).

Revisando la parte superior

Para los lados: Para revisar los lados debes empezar a hacerlo en la parte superior, todo a un ángulo de 90º y terminando en el perímetro. Si ves alguna parte "dispareja", toma las tijeras y corta los "picos" de más.

Revisando los lados

Para la parte posterior: Finalmente, para revisar la parte posterior, debes elevar el cabello de la coronilla a un ángulo de 90º para que te funcione como guía; después, revisa el centro de la parte posterior por secciones hasta que llegues al perímetro. Una vez hecho esto, revisa el lado izquierdo y el derecho de la parte posterior (siempre de arriba hacia abajo). Cuando hayas terminado, peina el cabello de la parte posterior en dirección de las orejas y, si ves que sobresale o se "para" un cabello, córtalo por debajo o a nivel de la línea de nacimiento.

Revisando la parte posterior

Una vez que tu cabello haya quedado listo, y dependiendo del estilo que hayas adoptado, echa mano de la secadora, tenazas eléctricas y los cepillos para darle la forma deseada.

LARGO EN CAPAS

Muchas personas con cabello chino, permanente o con gran cantidad de él, se verán beneficiadas con este corte de cabello.

Muchos caballeros prefieren este tipo de corte en sus parejas, pues una cabellera larga en capas siempre ha sido un "arma de seducción".

Este corte favorecerá a las personas que dispongan de tiempo para arreglarlo con secadora eléctrica, tubos o tenazas eléctricas. No obstante, la práctica diaria con estos accesorios, disminuirá el tiempo empleado para arreglar tu cabello.

Corte en capas largo

Pasos a seguir:

Primero debes mojar el cabello (te recomiendo mantenerlo húmedo durante todo el proceso de corte), desenredarlo y dividirlo en las siguientes secciones (*nota: en la parte posterior de la cabeza no hay divisiones*):

División parte superior, coronilla hacia la frente

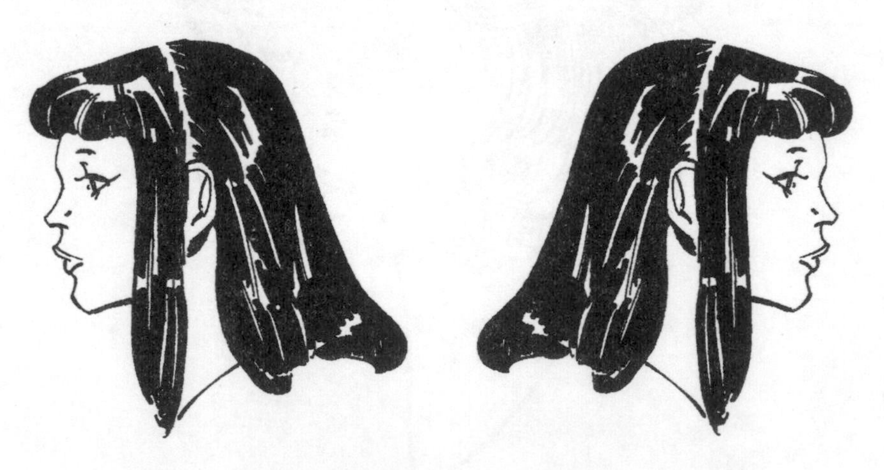

División lateral de oreja a oreja (derecha e izquierda)

División frontal en triángulo (de un tercio de la parte sueprior a las sienes)

Ahora, toma en cuenta las siguientes guías para el corte de cabello en el perímetro: Contorno o perímetro, parte superior de la nariz, sienes y cejas.

Para el corte de las capas, las guías son: Control de la coronilla, nariz, sección superior, secciones y capas.

Los ángulos que se usarán en el corte largo en capas son: 90° en la parte superior.

Ángulo 90° en la parte superior

En los lados y en la parte posterior el ángulo que debes de tomar en cuenta es el de 180°.

Ángulo de 180° en los lados y parte posterior

Hecho lo anterior corta el perímetro del cabello según el largo que se desea. Puedes tomar como guía el mismo perímetro, la parte superior de la nariz, sienes y cejas.

Contorno o perímetro

Ahora, haz una separación en la parte superior de la cabeza, como lo indica la figura (sección A).

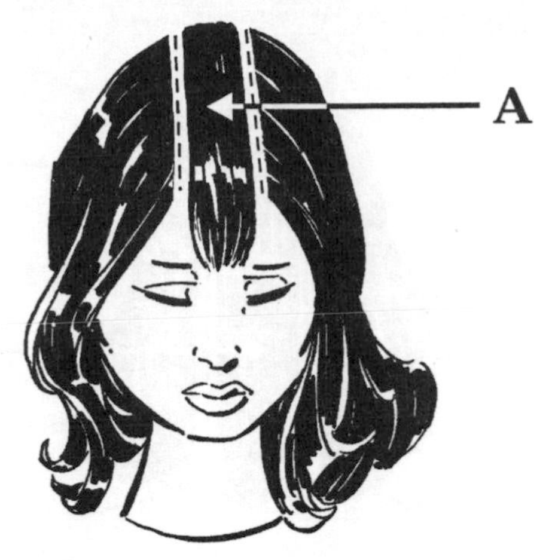

Sección del control de la coronilla

Una vez que tangas la sección o separación para cortar el punto de control, que más adelante nos servirá para cortar las demás capas, toma el cabello de la coronilla y da el largo que desees al mismo con un ángulo de 90°, cortando éste hacia el frente (ve ilustración).

Corte del control de la coronilla

Después de esto, en la parte posterior de la cabeza, haz dos separaciones al centro como se indica en la ilustración (secciones B y C).

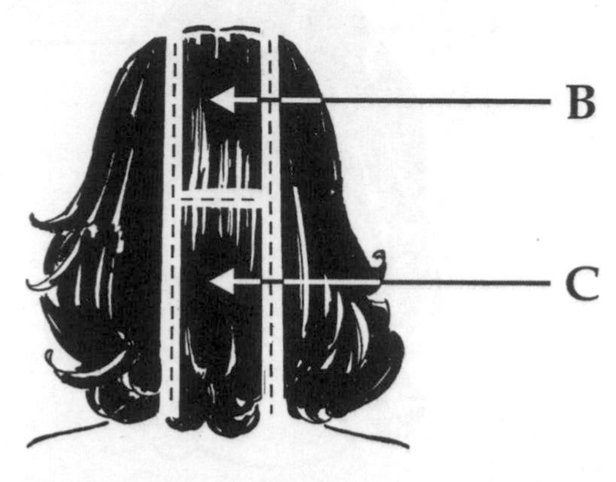

Secciones posteriores B y C

Para cortar la parte posterior, y una vez que ya tienes el largo deseado en la coronilla, sigue la parte ubicada entre la coronilla y el hueso occipital (B). Toma el mechón de esta sección y elévalo a 180° y corta de acuerdo a la guía de la coronilla. Hecho esto, toma el mechón que se encuentra en la nuca (C) y haz el mismo corte, tomando siempre como referencia la guía de la coronilla.

Corte en la sección B

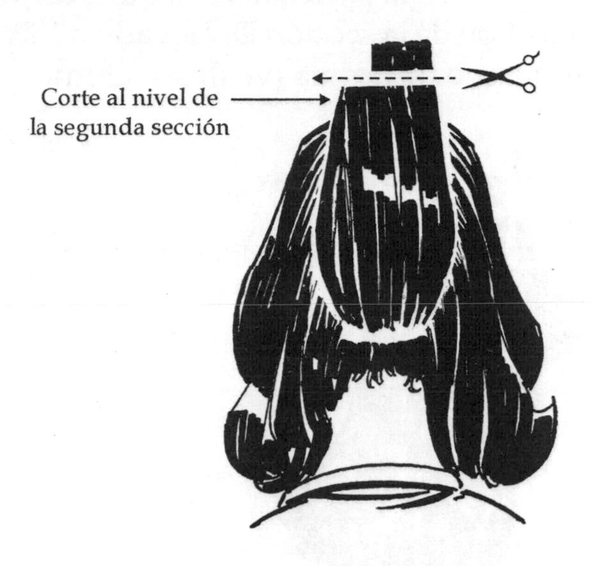

Corte en la sección C

Para cortar el lado izquierdo en la parte posterior, debemos de hacer la separación como lo indica la ilustración (secciones D y E).

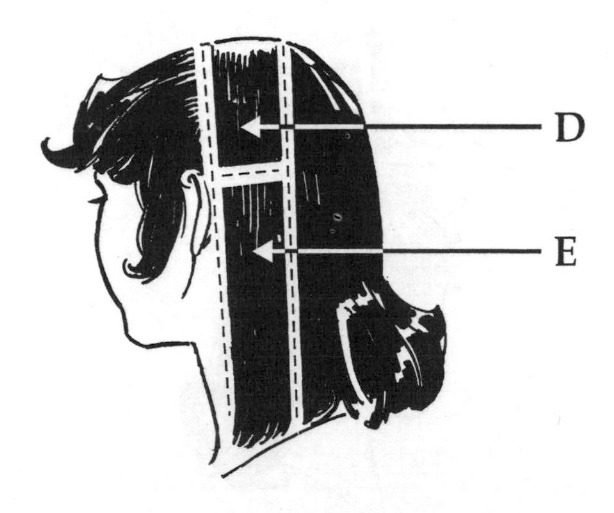

Secciones laterales posteriores lado izquierdo D y E

Para hacer el corte en la parte lateral izquierda posterior, toma el mechón de la sección D, elevado a 180º, y corta conforme al largo de la guía (ve ilustración).

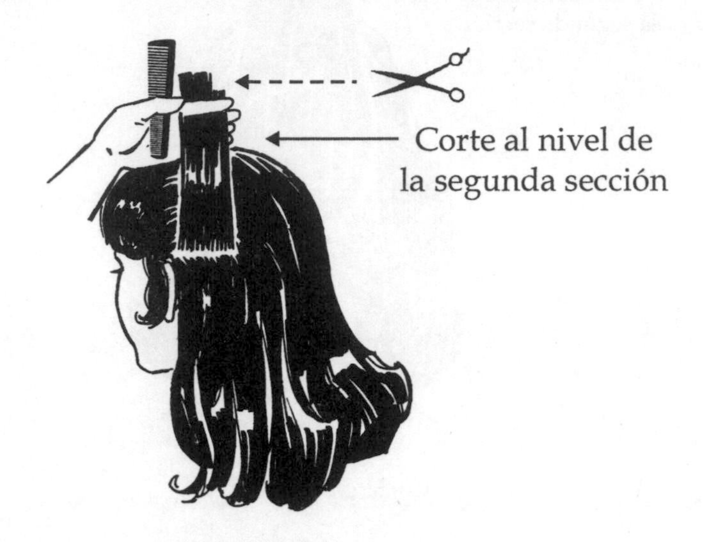

Corte en la sección D

Hecho esto, toma la sección E, elévala también a 180º, y corta de la misma manera.

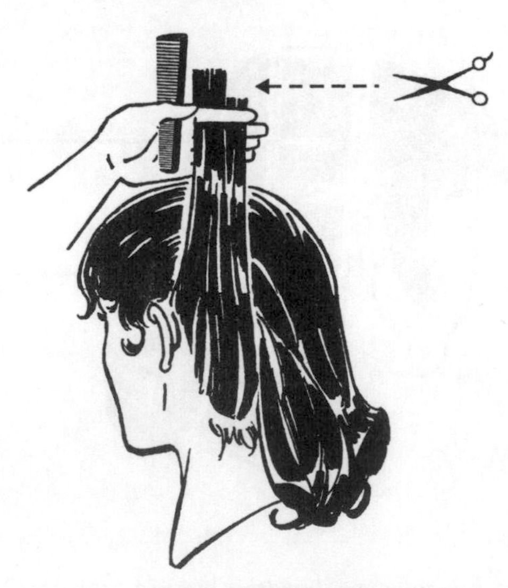

Corte en la sección E

Ahora bien, para cortar el lado derecho en la parte posterior, debemos de hacer la separación como lo indica la ilustración (secciones F y G).

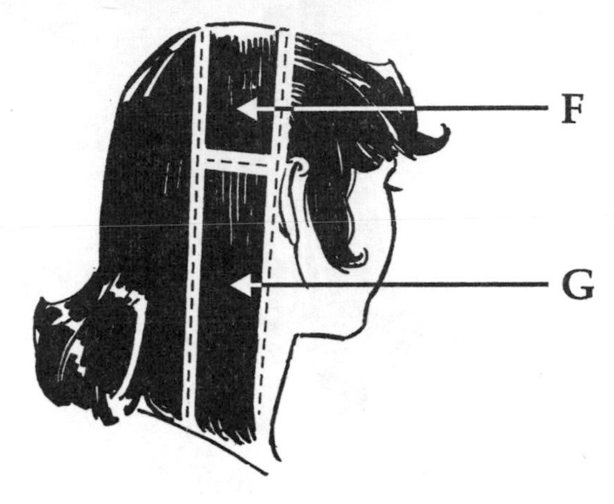

Secciones laterales posteriores lado derecho F y G

Para hacer el corte en la parte lateral derecha posterior, toma el mechón de la sección F, elevado a 180°, y corta conforme al largo de la guía (ve la ilustración).

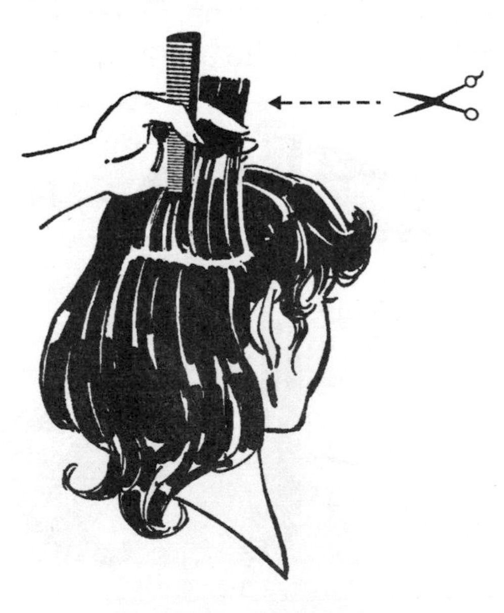

Corte en la sección F

Hecho esto, toma la sección G, elévala también a 180º, y corta de la misma manera.

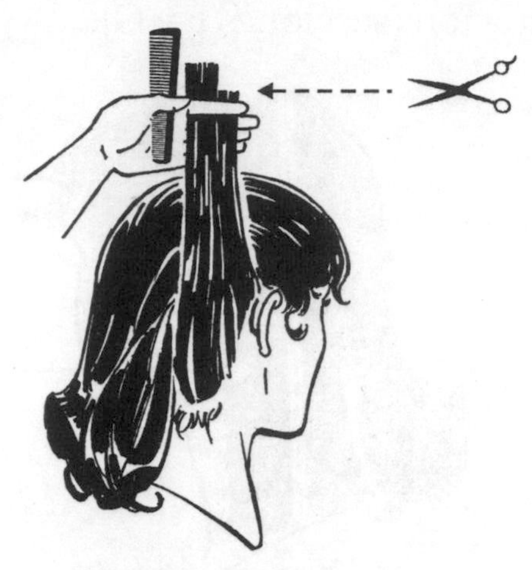

Corte en sección G

Por lo general, en las partes laterales encontramos poco cabello (sección H); es por ello que casi siempre con una sección es suficiente. Pero si a tus manos llega una persona con una abundante cabellera, será mejor hacer dos secciones en lugar de una. Esto dependerá exclusivamente del tipo de cabello que se te presente.

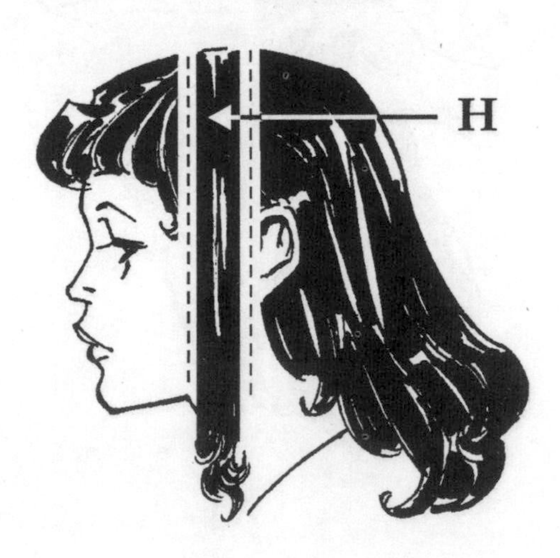

Sección lateral H

Para hacer el corte en la parte lateral izquierda, levanta la sección a 180 ° y haz el corte a la misma altura que en el punto de control en la parte superior de la cabeza (ve la ilustración).

Corte en sección H

Una vez hecho lo anterior, pasa al otro lado de la cabeza y repite la misma operación, ahora en el lado derecho.

Sección I

El corte de cabello se hará de igual forma que en el lado izquierdo.

Corte sección I

Revisando el corte: Una vez que hayas terminado de hacer el corte, revisa muy bien cada una de las secciones del cabello.

Procura "emparejar" cualquier cabello que se "pare" con tus tijeras.

Para la coronilla: Colócate detrás de la persona, toma una sección de cabello de esta zona y elévala a 180º.

El cabello debe dibujar una línea recta en el corte. Cualquier variación de largo, indicará que un lado quedó más corto (o largo) que otro.

Si esto sucede, sigue paso a paso todo el corte de nueva cuenta.

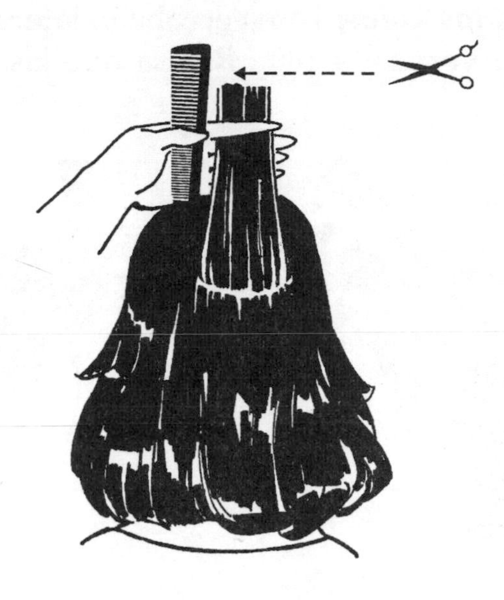

Revisando la coronilla

Para la parte superior: También detrás de la persona haz tres secciones, toma cada una y levántala a 90° de la coronilla al frente. Deben presentar uniformidad los cabellos. Empareja si es necesario.

Revisando la parte superior

Para los lados: Toma el cabello lateral, y levántalo en forma vertical a 180º. Revisa que las puntas estén parejas.

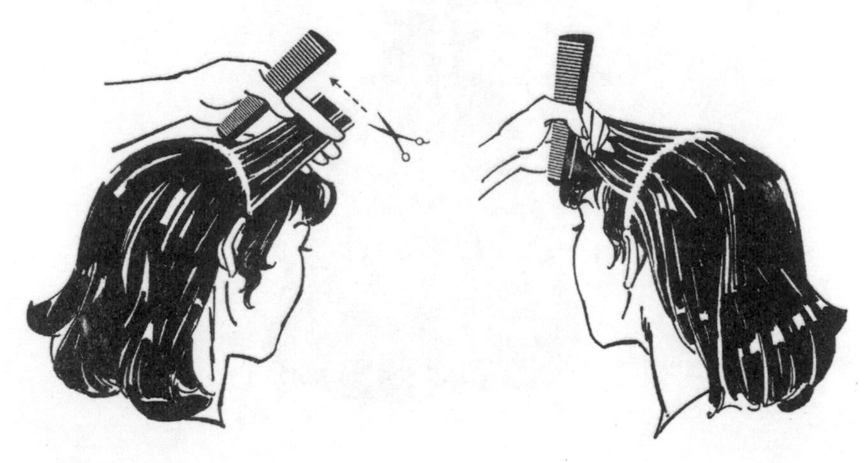

Revisando los lados

Para la parte posterior: Detrás de la persona, divide en tres secciones la parte posterior de su cabeza, y levanta cada una a un ángulo de 180 º para verificar que hayan quedado parejas.

Revisando la parte posterior

Una vez que el corte ha terminado, toma la secadora eléctrica, los tres tipos de cepillos que te mencioné anteriormente, y dale forma al cabello mostrando tu creatividad.

HONGO

Este tipo de corte es bastante popular entre las damas, pues además de ser muy femenino, es bastante fácil de mantener arreglado.

Este corte, por llevar la parte posterior muy corta y la parte más larga en la coronilla, da un gran volumen en la parte media y superior de la cabeza, de ahí su nombre.

Este corte te puede ofrecer una gran variedad de apariencias, dependiendo del tipo de cabello que manejes (grueso, delgado, lacio, rizado, etc.). Demuestra tu creatividad e ingenio con este corte.

Corte hongo

Pasos a seguir:

Primero debes mojar el cabello (te recomiendo mantenerlo húmedo durante todo el proceso de corte), desenredarlo y dividirlo en las siguientes secciones:

En la parte superior, haz una separación de la coronilla a la frente por el centro.

División parte superior

Las separaciones que harás para los lados, será una de oreja a oreja.

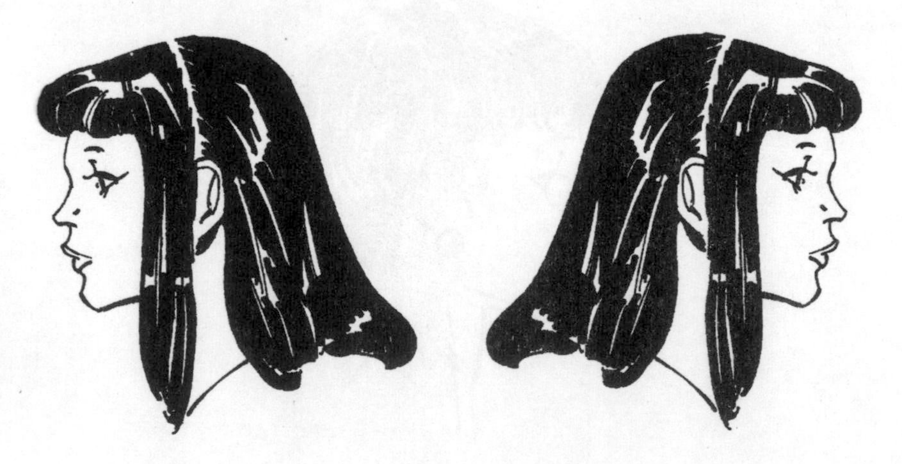

División lateral de oreja a oreja (derecha e izquierda)

Para el frente lleva a cabo un triángulo desde un tercio de la parte superior hacia las sienes.

División parte frontal

Para la parte posterior haz una separación en forma de "V", desde arriba de las orejas y hasta el hueso occipital. Con unas pinzas sujeta el cabello de la parte occipital, y peina el resto del cabello hacia abajo (ve ilustración).

División parte posterior

Una vez que has hecho las separaciones correspondientes, te presento las guías necesarias para este corte de cabello. Para el perímetro: contorno o perímetro, parte superior de la nariz, sienes y cejas. Para las capas: secciones y capas. Los ángulos que usarás en la parte posterior serán de 45° y 180°. También se usa la "elevación 0".

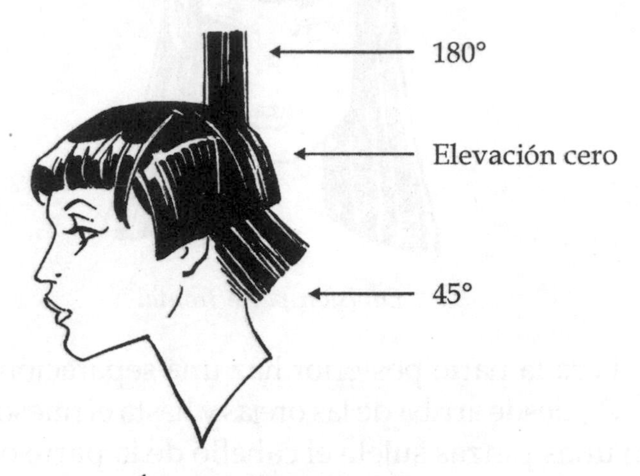

Ángulos parte posterior

Para la parte lateral los ángulos que usarás serán de 45°.

Ángulos laterales

Los ángulos que requiere el frente de este corte son de 90º.

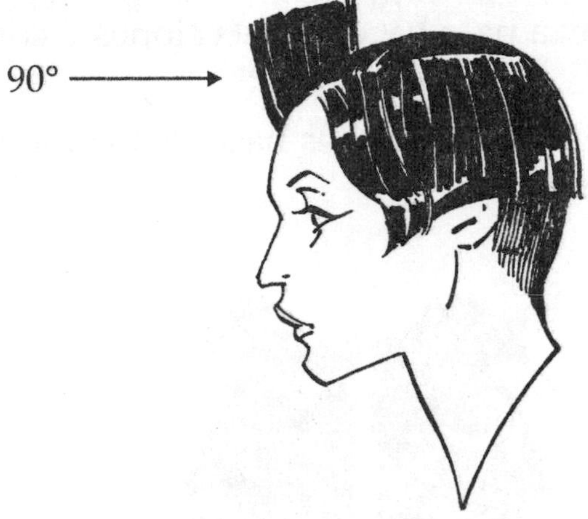

Ángulo de frente

Para empezar el corte inicia haciéndolo sobre el contorno o perímetro. El largo dependerá de tu gusto.

Corte del contorno o perímetro

Una vez que tengas el largo de tu corte (el contorno o perímetro) y hechas tus separaciones, ve a la parte posterior de la cabeza para hacer tus secciones y cortar las capas.

En la parte posterior debes hacer 8 secciones de la nuca al hueso occipital:

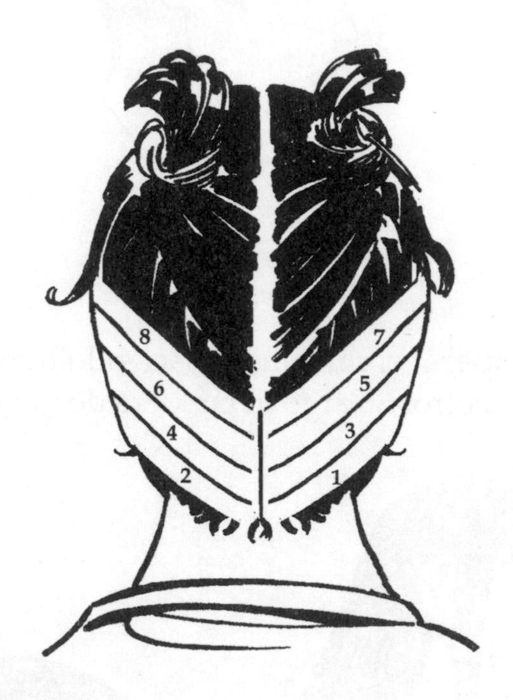

Secciones parte posterior

a) Define una sección de 2 cm del lado derecho, separa y recoge el resto del cabello;

b) eleva el perímetro y el mechón de la sección 1 a 45°;

c) usando el perímetro como guía de largo, corta la sección 1 sin cortar el perímetro;

d) corta horizontalmente de derecha a centro siguiendo el contorno de la cabeza;

e) define la sección 2 del lado izquierdo, y haz lo mismo que en la sección 1, corta del centro hacia la izquierda;

f) utiliza el perímetro y la primera sección como guía de largo;

g) define la sección 3;

h) separa y recoge el resto del cabello;

i) eleva esta sección a 45° y utiliza la sección 1 como guía, cuidando de no cortarla, y corta sólo el cabello que veas más largo que la guía;

j) repite el mismo procedimiento con cada una de las 8 secciones hasta que llegues al hueso occipital.

Corte de las ocho secciones

Una vez que hayas hecho estos cortes en la parte posterior, toca el turno a la parte que abarca del hueso occipital a la coronilla (sección 9).

Sección 9: del hueso occipital a la coronilla

Primero suelta el cabello que recogiste con las pinzas y péinalo todo hacia abajo. Hecho esto, del lado derecho eleva el cabello a la "elevación cero" y corta hacia la izquierda; toma como guía la sección 7 de los cortes anteriores. Para hacerlo del lado izquierdo ten como guía la sección 8.

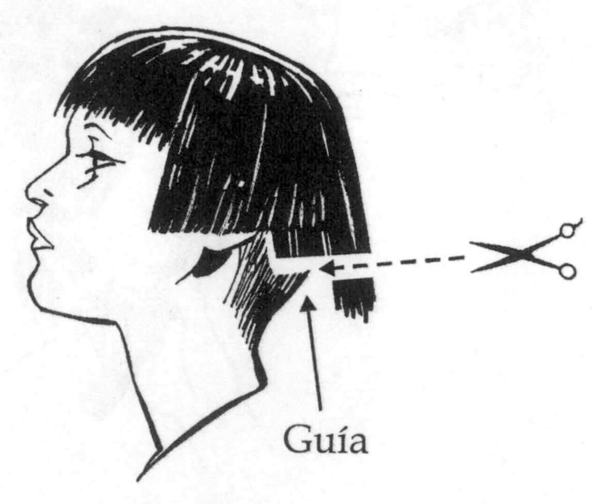

Corte sección 9

Cuando hayas hecho los cortes en la primeras 9 secciones de la parte posterior, toca el turno a la coronilla. Recuerda que esta parte presenta el punto más largo del cabello en este corte y su punto de control.

Sección 10 coronilla

Toma el cabello de esta parte de la cabeza, levántalo a 180° y corta en línea recta (ve ilustración).

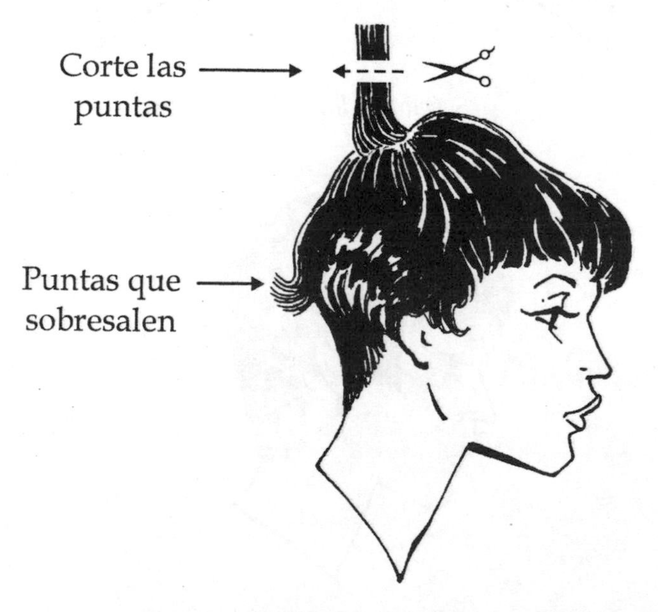

Corte en coronilla

Si llegas a ver puntas fuera de su lugar (ya sea en la coronilla, detrás de las orejas o en cualquier otro punto), emparéjalas.

Para hacer el corte a los lados debes tener en cuenta esto: si es muy abundante el cabello a los lados, divídelo en dos partes.

Separa las secciones y corta la primera capa a 45° usando el perímetro como guía; corta la segunda sección con la primera como guía.

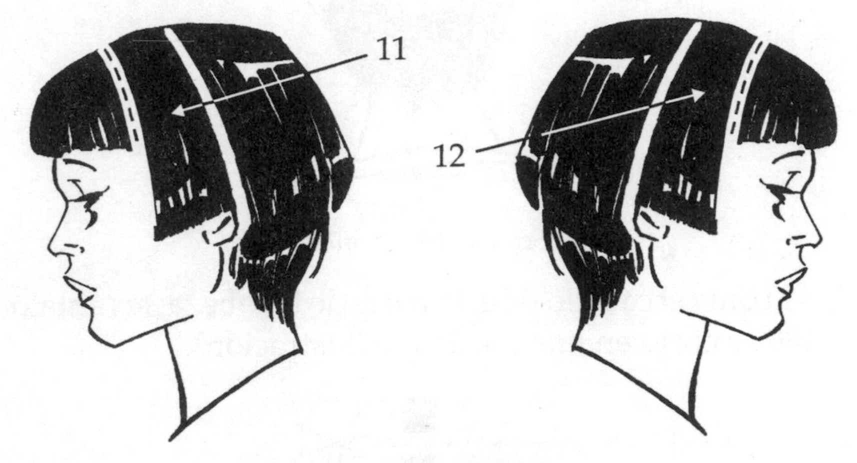

Secciones laterales

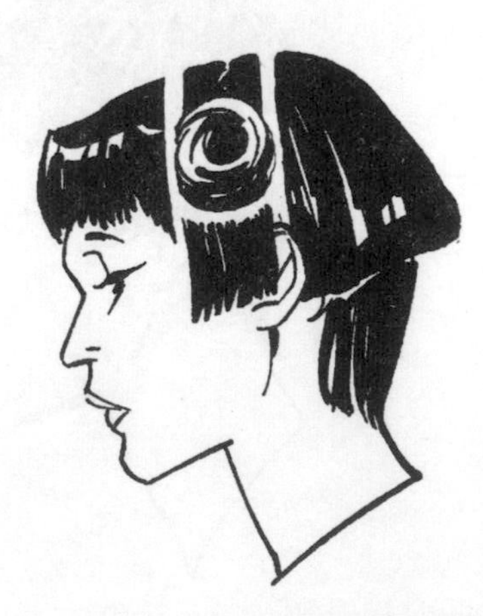

Corte sección lateral izquierda

Una vez hecho el corte del lado izquierdo (ilustración anterior), sigue los mismos pasos para el lado derecho, sólo que en esta ocasión hazlo del frente hacia la oreja.

La sección del frente estará dividida en dos secciones (13 y 14), y ambas se refieren al flequillo.

Secciones 13 y 14

Para el corte deberás elevar la sección 13 a 90° y cortar de la sien izquierda al centro en forma horizontal con respecto a la guía del perímetro. Para la sección 14, lado derecho, lleva a cabo los mismos pasos, sólo que el corte será del centro a la sien derecha.

Corte de las secciones 13 y 14

Revisando el corte: Una vez terminado el corte es necesario revisar que no queden "puntas" o cabello más largos en ciertas partes.

Para la parte posterior: Levanta el cabello verticalmente a 45º (en secciones).

Hazlo del centro a la derecha, primero, y del centro a la izquierda, después. El cabello deberá tener más longitud en la parte occipital y ser menor en el contorno o perímetro.

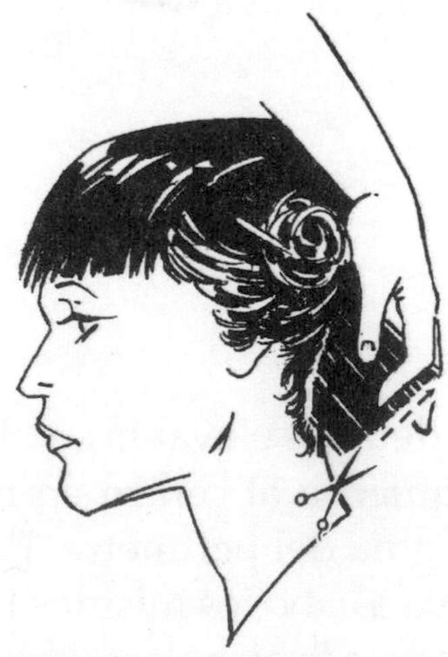

Revisando la parte posterior

Para los lados: Levanta el cabello de la oreja al frente en ángulos de 45°. En la parte del perímetro, el cabello debe ser más corto con respecto a la parte superior de la cabeza.

Revisando los lados

Para el frente: La revisión se hará verticalmente y a un ángulo de 45°. Siempre debes de hacerlo del centro hacia los lados.

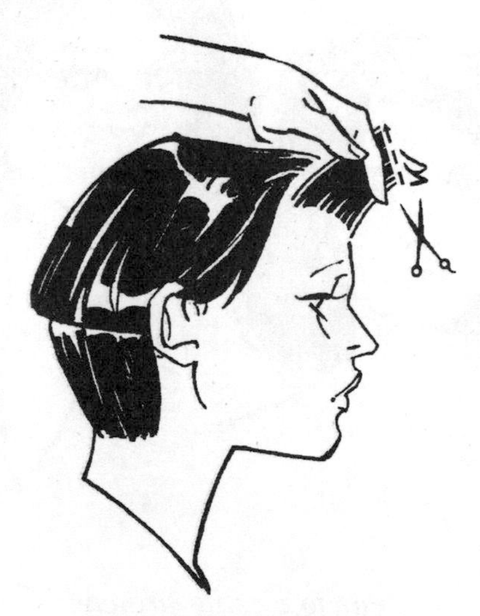

Revisando el frente

Una vez que el corte haya quedado perfecto, echa mano de los accesorios como secadora eléctrica y cepillos para darle volumen donde se desee. También puedes usar espuma moldeadora, y con los dedos de tus manos darle forma si tu cabello es rizado.

PAREJO (TIPO PRÍNCIPE)

Este corte es una melena que lleva un solo largo. Es ideal para las personas que tiene el pelo lacio. El largo varía según la edad y el gusto de cada persona. Se puede llevar muy corto o a los hombros.

Para los niños que tienen el pelo lacio, este corte, resulta muy cómodo.

Parejo o estilo príncipe

Pasos a seguir:

Primero debes mojar el cabello (te recomiendo mantenerlo húmedo durante todo el proceso de corte), desenredarlo y tener en cuenta lo siguiente:

Para este corte se usaran las siguientes guías: Hombros, cejas, sienes, parte posterior de la nariz, secciones y perímetro de la parte posterior.

Ángulos: En este corte se usará la "elevación 0". Recuerda que el cabello no se levanta y se corta junto al cuello, espalda y frente. Todo lleva un mismo largo, sin capas.

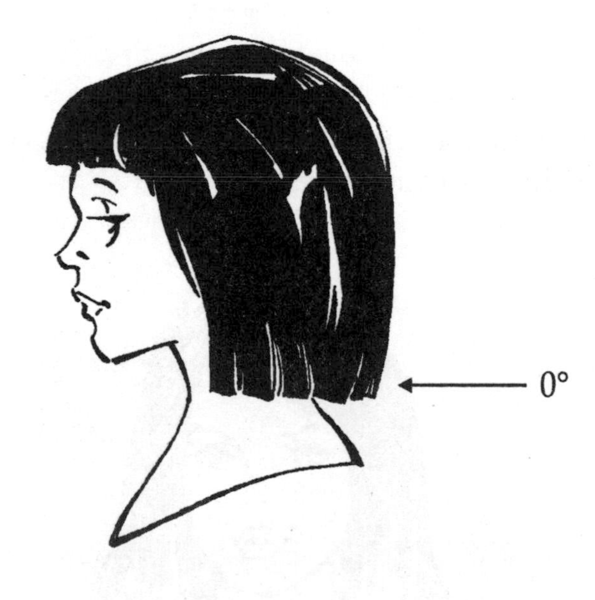

Elevación 0°

División del cabello: Para el frente, divide el cabello del centro de la coronilla hacia la frente.

División frente

Si la persona se peina de lado, se hará el corte con la división del lado que se desee.

División de lado

Para dividir los lados se hace una división de oreja a oreja.

División de los lados

En caso de que la persona tenga una cabellera abundante, se harán dos secciones de forma horizontal, como lo indica la siguiente figura:

División con dos secciones al lado

Si la persona desea un fleco, se divide el cabello de la siguiente manera: Haz un triángulo de un tercio de la parte superior a las sienes.

División fleco

Para cortar la parte posterior, se divide el cabello en triángulo, partiendo del hueso occipital hasta por debajo de las orejas.

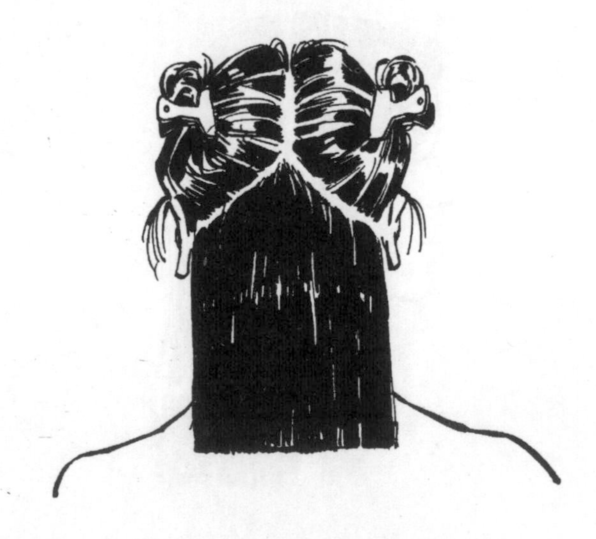

División parte posterior

Perímetro: Ya hechas las divisiones, recuerda que el perímetro es el que marca el contorno que define el largo del corte. En este corte el perímetro es parejo y se hace al realizar el corte.

Para el perímetro de la parte posterior se debe inclinar a la persona con la cabeza hacia delante y se mantiene en esta postura. Se debe cortar una sección en el centro para usarla como guía, éste tendrá el largo deseado. En seguida continuarás hacia los lados, tomando pequeñas secciones para evitar que quede disparejo. Cortando en línea recta, empieza del centro a la izquierda para cortar el lado izquierdo.

Parrte posterior

Para el perímetro de la parte posterior del lado derecho, se toman pequeñas secciones del centro hacia la derecha, y se corta hacia la izquierda.

Parte posterior

Parte posterior

Al terminar de cortar esta parte verifica si el largo es correcto; si hay algunas puntas fuera del perímetro debes cortarlas para que así quede parejo.

Después de haber cortado la primera capa, se baja el resto del cabello, se peina y se cortará 1 cm más largo para evitar que las puntas se levanten. Utiliza la primera capa como guía.

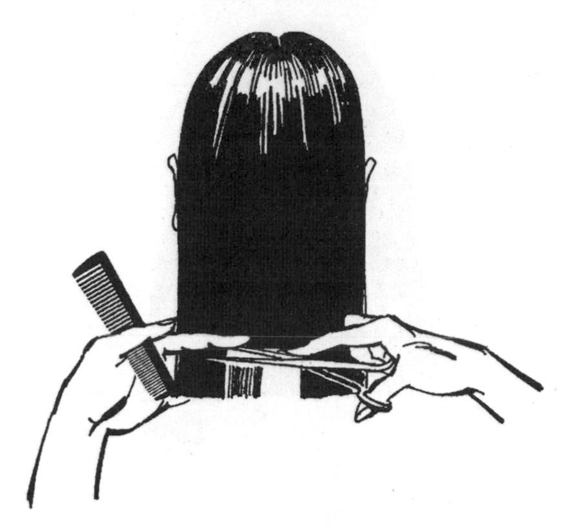

Parte Posterior

Los lados: Continúa cortando de la misma forma que la primera capa, dándole un 1 cm más de largo.

Lado Derecho

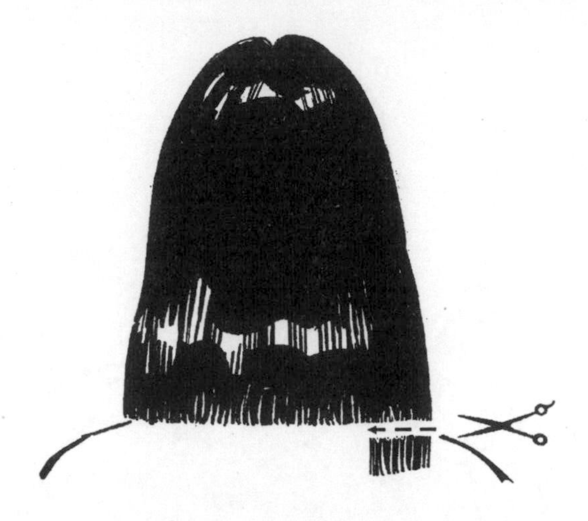

Lado Izquierdo

Cuando el cabello es abundante y has dividido en dos secciones, se corta la primera capa recta y la segunda capa debe cortarse 1 cm más larga, usando la primera como guía.

Pero si el cabello es muy fino o delgado, sólo se hará una capa y se cortará parejo, usando como guía el perímetro de la parte posterior.

Lado Izquierdo

Lado Derecho

Frente: Si deseas hacer un fleco debes hacer la división en triángulo ya antes indicada.

Se puede cortar recto o en ángulo, con el centro más corto. El largo puede ser arriba o por debajo de las cejas. Comenzaremos a cortar una sección del centro de la frente, que se usará como guía, después corta poco a poco del centro hacia el lado derecho.

Fleco

Fleco

Para el lado izquierdo del fleco se hacen dos secciones. Se corta la primera con la guía central, y la segunda se corta desde abajo de la sien, y hacia arriba hasta unirla con la sección anterior.

Fleco

Fleco

Revisando el corte: Primero revisa la parte posterior peinando todo el cabello, de la parte de atrás hacia abajo. Se revisa que esté parejo colocando el peine en forma horizontal. Si encuentran algunas puntas que estén fuera del perímetro, se cortan.

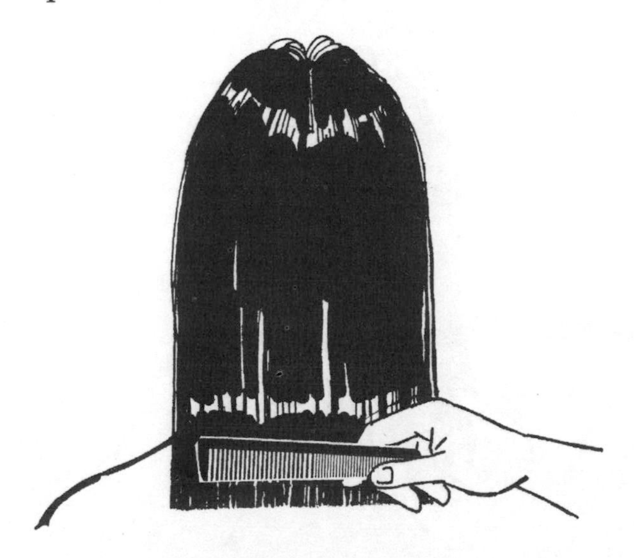

Revisando la Parte Posterior

Para los lados: Se inclina la cabeza de la persona hacia adelante para que el cabello caiga con libertad. Utiliza el peine para medir el largo de los lados; también toma las puntas de cada lado para comprobar que estén parejas.

Largo de los lados

Largo de los lados

Este corte es muy fácil de peinar. Se pude utilizar la secadora eléctrica o las tenazas en las puntas. También puedes utilizar peinetas o diadema.

MIXTO I

Corto en capas en la parte superior, lados en capas largas, y parejo en la parte posterior (Mixto I): Para lograr una apariencia juvenil y a la vez conservadora se recomienda este corte. En él se mezclan 3 estilos diferentes logrando un resultado muy agradable.

En este corte, el frente va con capas muy cortas, a los lados se cortan una capas largas para que el volumen sólo se dé en la parte superior, y en la parte posterior se corta a la altura que se desee; luce muy bien en pelo lacio.

Mixto I

Pasos a seguir:

Primero debes mojar el cabello (te recomiendo mantenerlo húmedo durante todo el proceso de corte), desenredarlo y tener en cuenta lo siguiente:

Las guías que debes tener en cuenta para este corte son las siguientes:

Para el perímetro: cejas, sienes, parte superior de la nariz, perímetro de la parte posterior.

Para las capas: secciones y capas, sección superior, nariz punto de control superior.

Primero, con el cabello húmedo, haz unas divisiones a los lados de oreja a oreja.

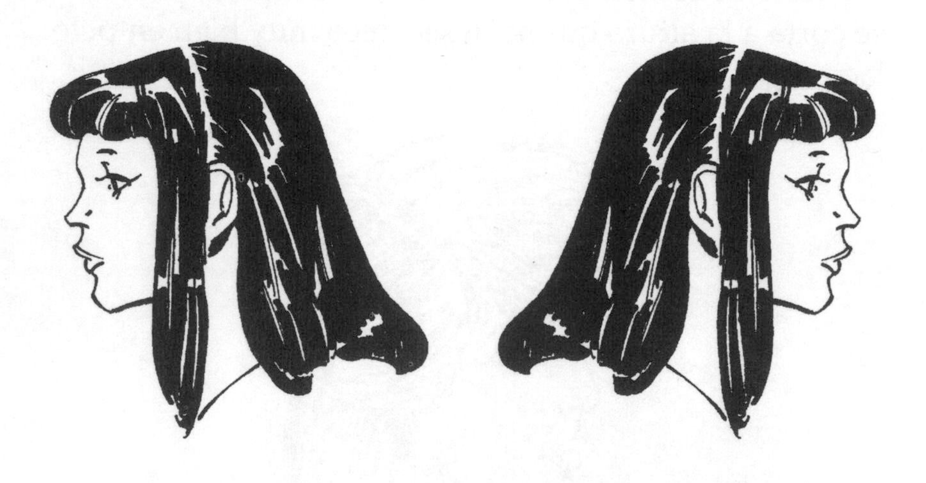

División de oreja a oreja

Para el frente, la división será de la coronilla a la frente por el centro.

División al frente

Para el fleco la harás en triángulo, en un tercio de la parte superior a las sienes.

División del fleco

Para la parte posterior se hace la separación en triángulo, del hueso occipital hacia debajo de las orejas, se separa y se recoge le cabello con unas pinzas, y el resto del cabello se peina hacia abajo.

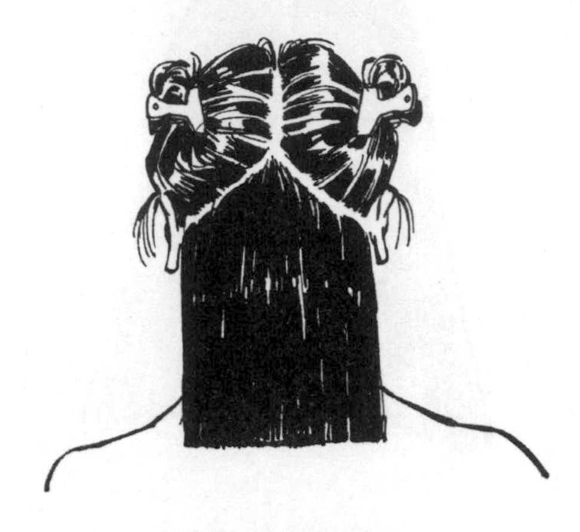

División parte posterior

Ángulos: En este corte vamos a usar los ángulos de 90°, 180° y elevación 0. En la parte posterior se usará un ángulo de 90°.

Ángulo 90°

Para los lados se usará un ángulo de 180º.

Ángulo de 180°

La parte posterior llevará elevación 0.

Elevación 0

Ya hechas las divisiones se corta el perímetro o contorno; recuerda que siempre es a la elevación 0 y que éste nos marca el largo que deseamos.

Para cortar el perímetro del frente, o sea el largo del fleco, es necesario tomar como referencia las sienes, cejas y parte superior de la nariz. El lado derecho se corta del centro a la derecha y hacia abajo.

Perímetro centro

Perímetro fleco lado derecho

Para hacer el perímetro del frente o fleco izquierdo se corta de abajo de la sien hacia arriba, uniendo con el centro.

Perímetro fleco lado izquierdo

Para el perímetro de la parte posterior se debe inclinar a la persona con la cabeza hacia delante y se mantiene en esta postura. Se debe cortar una sección en el centro para usarla como guía, y continuar hacia los lados tomando pequeñas secciones para evitar que nos quede disparejo. Empieza del centro a la izquierda para cortar el lado izquierdo.

Perímetro parte posterior centro

Para el perímetro de la parte posterior del lado derecho se toman pequeñas secciones del centro hacia la derecha, y se corta hacia la izquierda.

Perímetor parte posterior lado derecho

Para cortar el perímetro de los lados se debe cortar en ángulo para que el efecto de las capas sea más ligero hacia atrás. Se cortan en forma vertical.

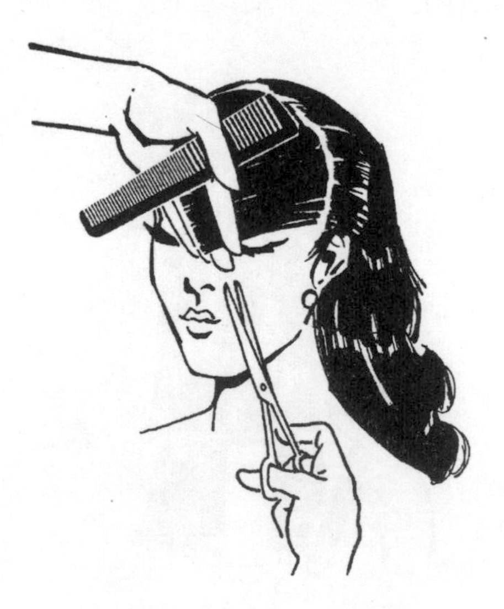

Perímetro lado izquierdo

Perímetro lado derecho

Se toma una sección en la parte central de la coronilla y se eleva a un ángulo de 90°; se corta tomando como guía la nariz, se hace una sección al frente, se eleva a un ángulo de 90° y se corta con la guía del punto de control de la coronilla, uniéndolo al perímetro.

Frente

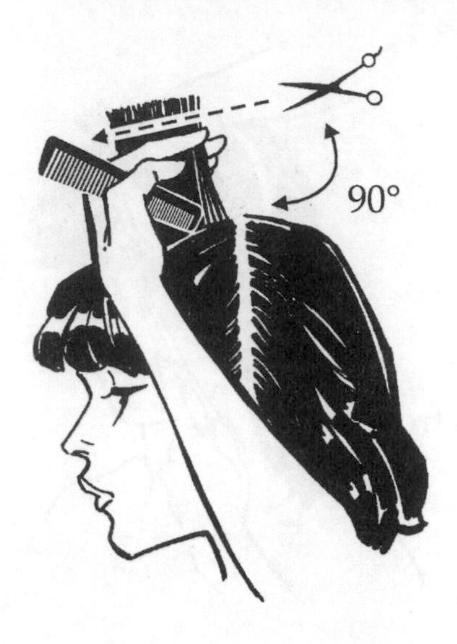

Corte parte posterior

Para cortar las capas largas de los lados se hace una sección y se eleva a un ángulo de 180° y se corta, tomando como referencia la capa que se cortó en la parte superior. Si es un pelo muy abundante haz dos secciones. Cuida de no cortar el perímetro.

División lado izquierdo

Corte lado izquierdo

Para el lado derecho se toma una sección, se eleva a un ángulo de180°, se corta en forma vertical tomando como guía la sección de la parte superior.

División lado derecho

Corte lado derecho

NOTA: La parte posterior se corta parejo.

Revisando el corte: Se divide el frente en tres secciones horizontales, se toma el punto de control y se continúa hacia el frente, revisando que todas las secciones están parejas.

Revisando el frente

Para revisar los lados se hace la división de oreja a oreja, se toman secciones de los lados y del centro en la parte posterior. Se levantan y deben coincidir con el largo de la parte superior.

Revisando los lados

Para revisar la parte posterior se peina todo el cabello de la parte de atrás hacia abajo. Se revisa que esté parejo colocando el peine en forma horizontal. Si encuentras algunas puntas que estén fuera del perímetro, córtalas.

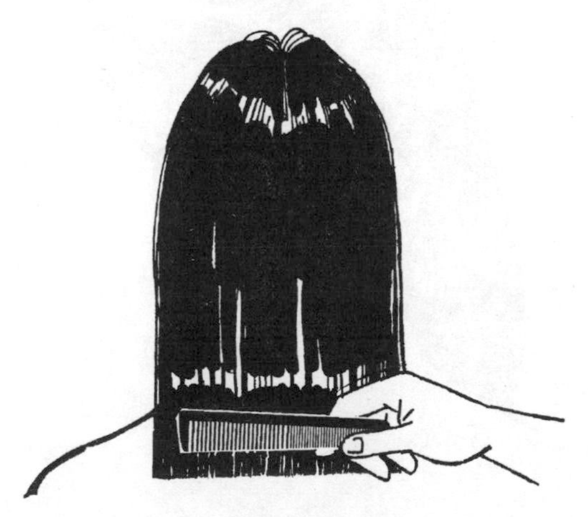

Revisando la parte posterior

Para este corte te sugerimos una base o permanente ligero en el frente, o lo puedes peinar con secadora eléctrica y tenazas. En la parte de atrás lo puedes peinar lacio hacia abajo, hacer trenza o chongo.

MIXTO II

Corto en capas en la parte superior, lados en capas cortas, y parejo en la parte posterior (Mixto II): En este corte se combina el pelo muy corto al frente y a los lados. En la parte posterior se corta parejo.

Este corte favorece a todas aquellas personas que cuentan con un cabello lacio y poco abundante o un cabello delgado, ya que las capas al frente y a los lados les dan volumen. Además, resulta fresco y fácil de peinar.

Mixto II

Pasos a seguir:

En este corte se utilizarán las siguientes guías:

Para el perímetro: perímetro posterior, cejas, sienes y parte superior de la nariz.

Para las capas: sección superior, sección y capas, nariz, punto de control.

Los ángulos que se usarán en este corte son:

Para el perímetro: elevación 0.

Elevación 0° perfil

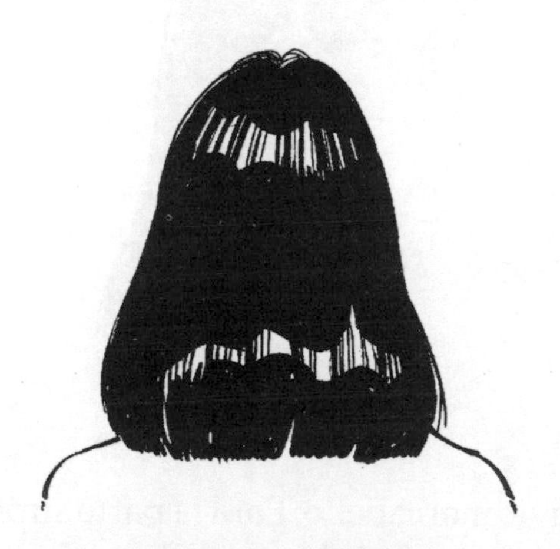

Elevación 0° espalda

Para los lados y la parte superior la elevación del ángulo será de 90º.

90° al frente

90° perfil

Cómo dividir el cabello: Para la parte superior se divide el cabello del centro de la coronilla hacia el frente.

División al frente

La división de los lados se hace de oreja a oreja.

División de lado a lado

La división en la frente se hace de la tercera parte de la parte superior hacia las sienes.

División del fleco

Para la parte posterior se hace la división formando un triángulo desde el hueso occipital hacia las orejas.

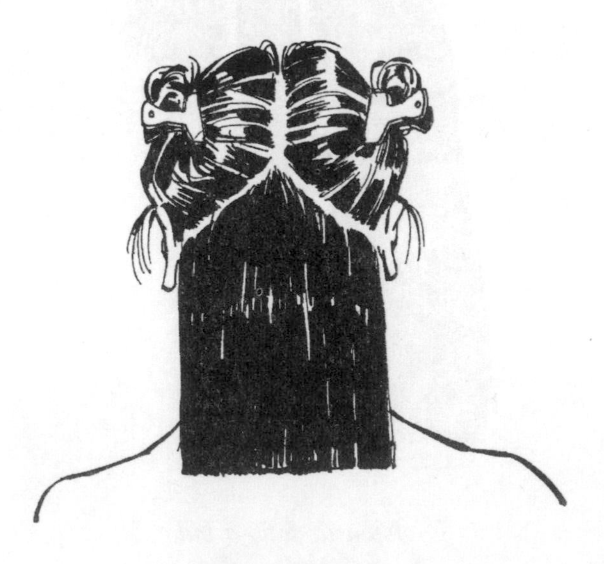

División parte posterior

Una vez hechas las separaciones, continuaremos con el perímetro. Se corta el perímetro empezando en la frente, se hace un corte en la parte central, tomando como guía la parte alta de la nariz y la cejas. Se corta del centro hacia debajo de la sien derecha de la persona.

Corte del perímetro al frente

Para el lado izquierdo del frente se hacen dos secciones; se corta la primera con la guía central, y la segunda se corta desde abajo de la sien hacia arriba, hasta unirla con la sección anterior.

División del perímetro frente derecho

Corte de perímetro frente derecho

Para el perímetro del lado izquierdo se inclina la cabeza de la persona a la derecha para tener un mejor ángulo; se peina el cabello por encima de la oreja para darle el largo deseado (ya sea tapando la oreja, la mitad de la oreja o con la oreja descubierta), y después se corta hacia el perímetro de la frente.

División perímetro lado izquierdo

Corte del perímetro del lado izquierdo

Para el perímetro del lado derecho se usarán los mismos pasos que en el lado izquierdo, verificando que el largo del cabello en la oreja esté a la misma altura de la oreja izquierda. Corta de la sien hacia la mejilla.

División perímetro lado derecho

Corte perímetro lado derecho

Para el perímetro de la parte posterior se debe inclinar a la persona con la cabeza hacia adelante y se mantiene en esta postura. Se debe cortar una sección en el centro para usarla como guía, y continuar hacia los lados, tomando pequeñas secciones para evitar que nos quede disparejo. Empieza del centro a la izquierda para cortar el lado izquierdo.

Perímetro parte posterior

Para el perímetro de la parte posterior del lado derecho se toman pequeñas secciones del centro hacia la derecha, y se corta hacia la izquierda.

Perímetro parte posterior

Perímetro parte posterior

Para hacer el corte de capas en los lados y la parte alta de la cabeza, primero se corta un mechón en el centro de la división de oreja a oreja y se eleva a un ángulo de 90º, éste será el punto de referencia que nos servirá para cortar las capas.

Punto de control

Se hace una sección de 3 ó 4 cm de ancho del punto de control hacia la frente y se divide en dos partes (A, B).

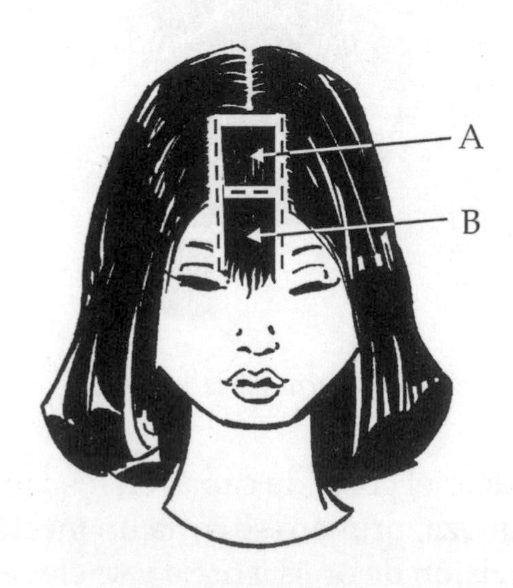

Secciones A y B

La sección A se lleva a un ángulo de 90°, y se corta en línea recta al frente, tomando como referencia el punto de control. La sección B se corta igual, tomando como referencia el largo de la sección A y el perímetro.

Corte en capas, arriba en la sección A y B

Peina el cabello hacia atrás, observa si es el largo deseado y si está parejo. Si se desea más corto, puedes ajustarlo cortando 1 cm, revisando cada corte que hagas. Para el lado izquierdo se hace una sección que se divide en dos, C y D.

Secciones C y D

La sección C se eleva a un ángulo de 90° y se corta en forma vertical hacia arriba, tomando como referencia la altura de la sección A.

La sección D se corta igual, tomando de referencia la altura del perímetro y de la sección C.

Corte en capas a los lados

Para cortar las capas del lado derecho sigue el mismo procedimiento que en el lado izquierdo. Peina el cabello y verifica que el largo de los dos lados coincida.

NOTA: La parte posterior se corta parejo.

Revisando el corte: Para este corte se hace una cola con la parte posterior, sujetándola con una liga. En la parte superior se hacen 3 secciones en forma horizontal, de la coronilla al frente. Se toma entre los dedos la sección de la coronilla y se eleva a un ángulo de 90°, se revisa que esté parejo y se continúa al frente con las otras secciones.

Revisando el frente

Para revisar los lados se hacen unas secciones en forma horizontal, se toma de una en una, elevándolas a un ángulo de 90º, empezando de la parte posterior y terminando con la sección que está en la oreja.

Revisando los lados

Para revisar la parte posterior se peina todo el cabello de la parte de atrás hacia abajo, se revisa que esté parejo colocando el peine en forma horizontal. Si encuentras algunas puntas que estén fuera del perímetro, córtalas.

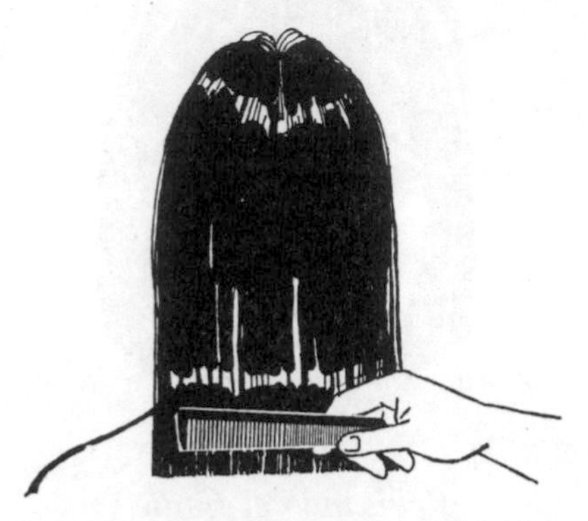

Revisando la parte posterior

MIXTO III

Corto en capas en la parte superior, lados en capas cortas, y capas largas en la parte posterior (Mixto III): Para este corte se mezclan dos estilos diferentes, ya que se combinan el pelo corto con capas al frente y a los lados, y capas largas en la parte posterior.

Este es un corte muy cómodo y fácil de arreglar, ya que las caspas cortas del frente se pueden peinar con secadora eléctrica y cepillo delgado, o con un poco de crema modeladora. La parte de atrás se puede acomodar con la sacadora eléctrica o recogiendo el pelo con una cola de caballo. Es ideal para ir a la playa.

Pasos a seguir:

Las guías que se necesitan para este tipo de corte son las siguientes:

Para el perímetro: Parte alta de la nariz, cejas y sienes.

Para las capas: nariz, sección superior, capas y secciones, y punto de control de la coronilla.

Los ángulos: para el frente y lados uno de 90°, y para la parte posterior uno de 180 °.

Ángulos

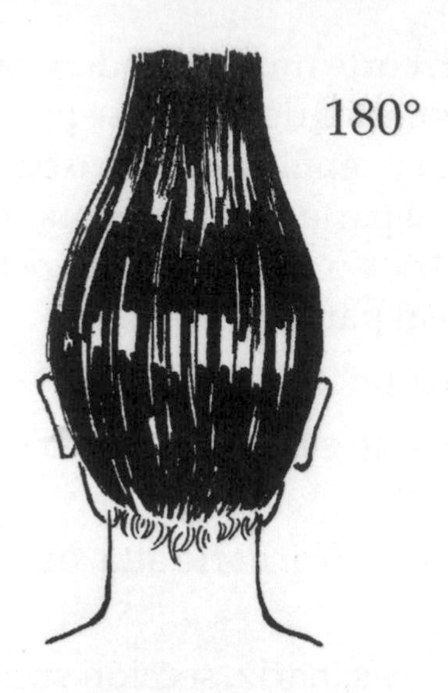

Parte posterior

Cómo se divide el cabello: Primero que nada, no olvides humedecer el cabello, así como usar pinzas de plástico para sostenerlo.

En la parte superior: De la parte central de la coronilla hacia el frente.

Parte superior

En los lados: De oreja a oreja.

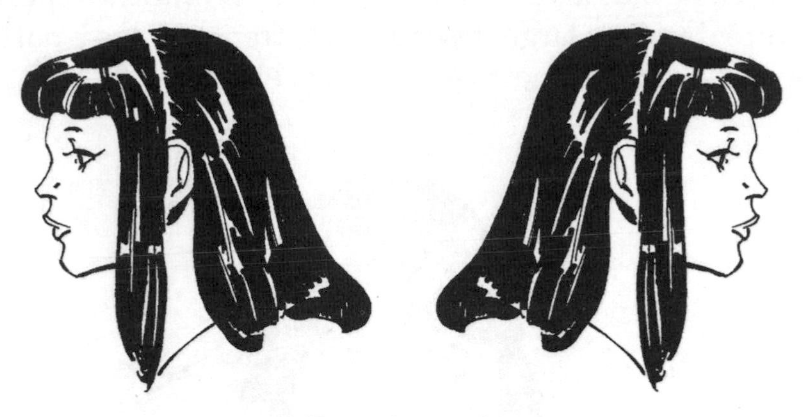

De oreja a oreja

En el frente: De un tercio del centro de la parte superior a las sienes, formando un triángulo.

Triángulo

En la parte posterior: No tiene divisiones y se peina hacia abajo.

Ya hechas las divisiones se corta el contorno o perímetro dando el largo deseado en la frente, lados y parte posterior. El perímetro se corta a la elevación 0.

Perímetro frente

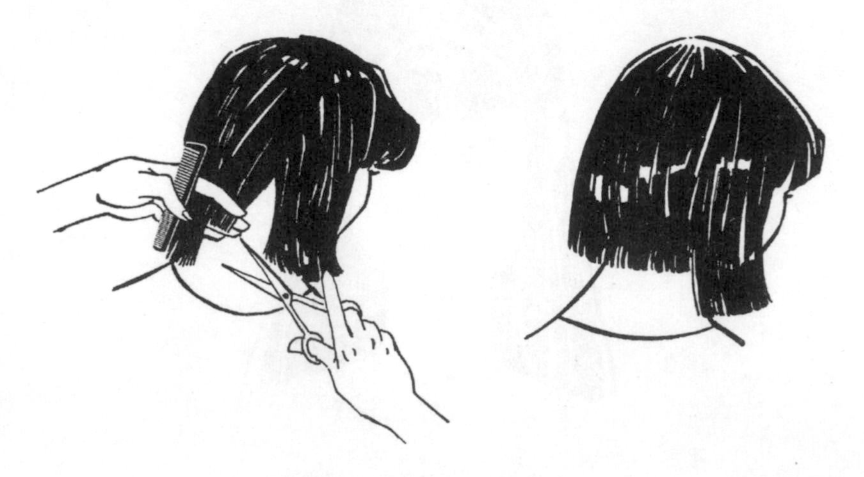

Perímetro parte posterior

Colócate detrás de la persona y corta el punto de control de la coronilla; hecho esto, comienza a cortar las capas de los lados y parte posterior. Después, una vez dividido el cabello, se hacen las secciones.

Punto de control

Bien ubicado el punto de control de la coronilla, continuarás con las capas a 90° del frente y los lados. Corta esta sección del punto de control hacia el frente, como se observa en la siguiente ilustración.

División al frente

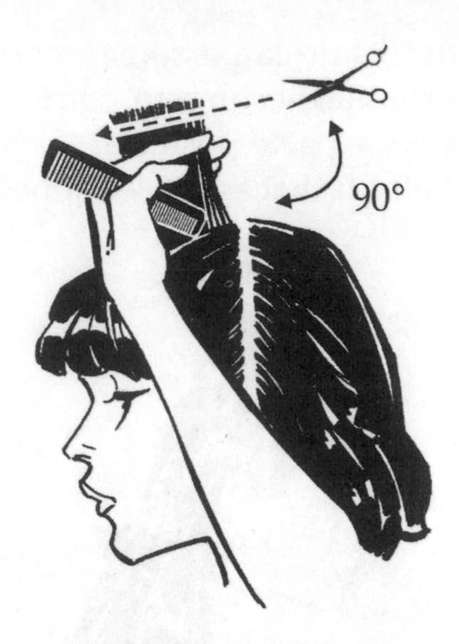

Corte en capas al frente

Continúa con las capas cortas de los lados, colocándote del lado izquierdo de la persona. Toma la sección y elévala a un ángulo de 90º, después corta en forma vertical usando el perímetro o contorno como guía y uniendo esta sección a la sección de la parte posterior.

División lado izquierdo

Corte lado izquierdo

Para cortar el lado derecho te colocarás del lado derecho de la persona; toma la sección y elévala a un ángulo de 90°. Después corta en forma vertical usando el perímetro o contorno del lado derecho.

División del lado derecho

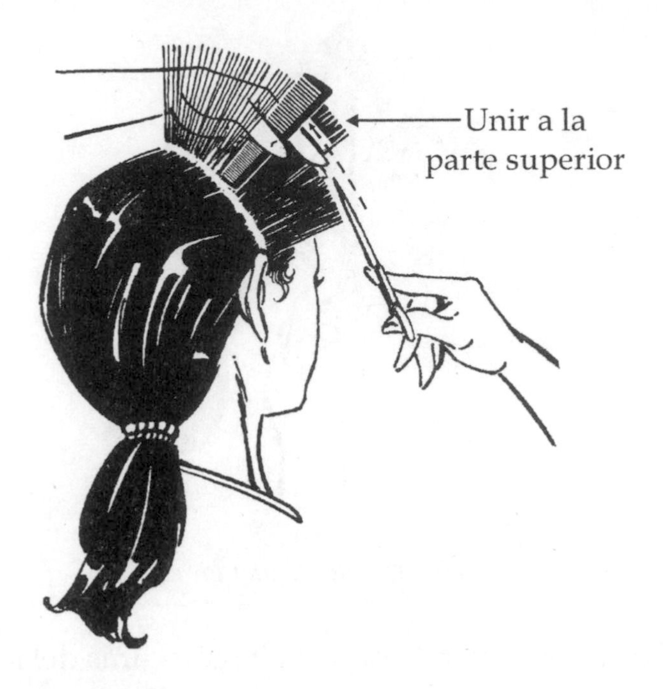

Corte del lado derecho

Al terminar de cortar los lados, debes revisar el corte para asegurarte que estén parejos, o sea, que tengan el mismo largo.

Para cortar las capas en la parte posterior es necesario poner mucha atención para no cortar el contorno o perímetro que se corta a elevación 0.

Al cortar las capas se toma la sección con una elevación de 180°, tomando como referencia el punto de control de la coronilla.

El centro de la parte posterior se divide en dos secciones: A y B.

Para cortar la parte alta del centro de la parte posterior, se toma la sección A, se eleva a un ángulo de 180° y se corta en forma horizontal.

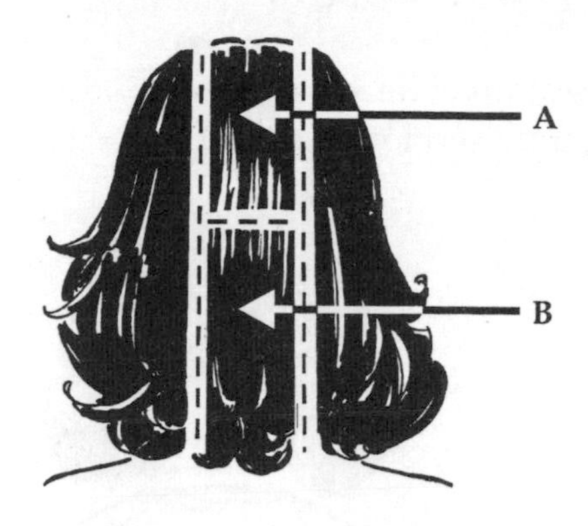

Secciones A y B

Corte en sección A

La sección B se toma entre los dedos y se eleva a un ángulo de 180°. Se corta en forma horizontal, tomando como guía la sección A.

No olvides dejar caer los cabellos que marcan el perímetro.

En el lado izquierdo de la parte posterior se hacen dos secciones de pelo: C y D. Para cortar la sección C se eleva a un ángulo de 180° y se corta en forma horizontal tomando como guía la sección la sección A.

Corte en sección B

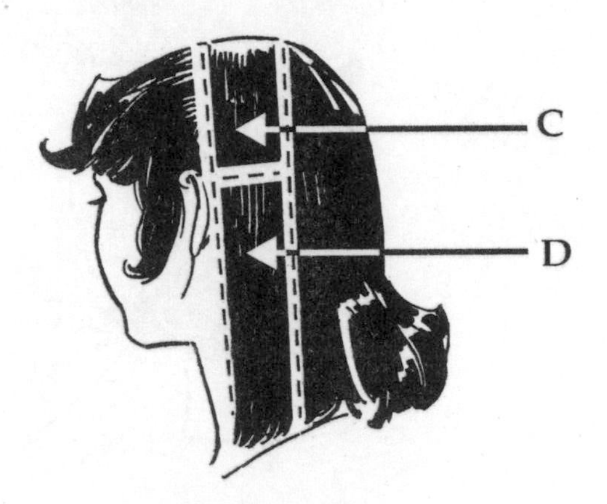

Secciones C y D

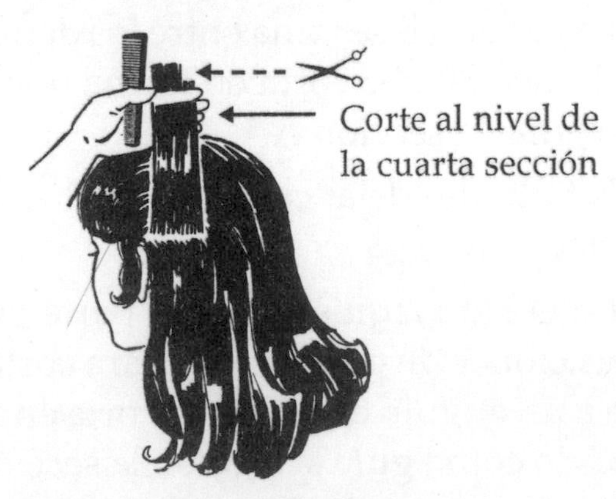

Corte en se sección C

La sección D se toma entre los dedos y se eleva a un ángulo de 180°. Se corta en forma horizontal tomando como guía la sección C; no olvides dejar caer los cabellos que marcan el perímetro.

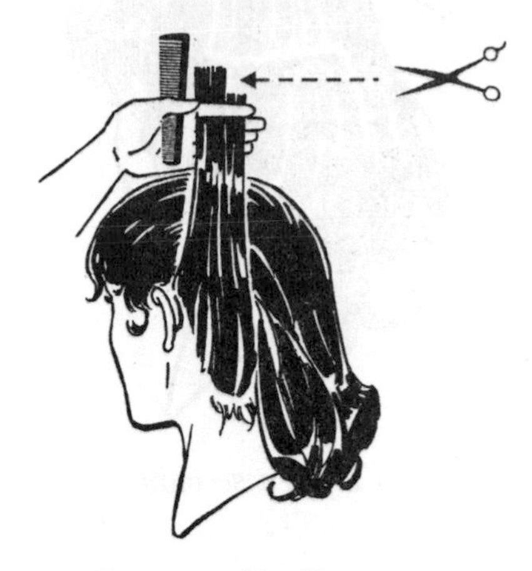

Corte sección D

El lado derecho de la parte posterior también se divide en dos secciones: E y F. Se toma la sección E y se corta una elevación de 180°, haciéndolo de forma horizontal y tomando como guía el punto de control de la coronilla.

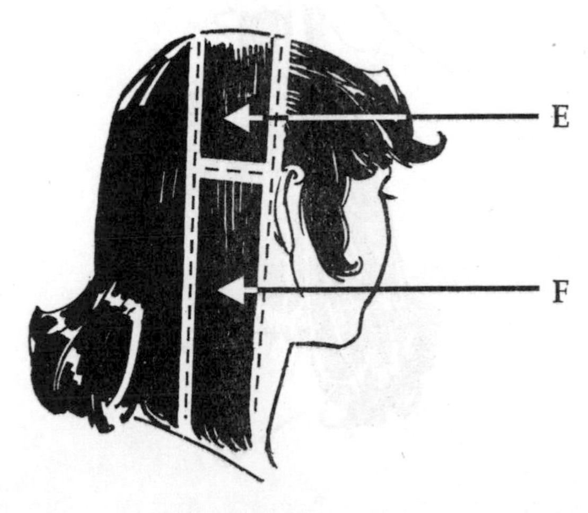

Secciones E y F

Corte en sección E

La sección F se toma entre los dedos y se eleva a un ángulo de 180º. Se corta en forma horizontal tomando como guía la sección E. No olvides dejar caer los cabellos que marcan el perímetro.

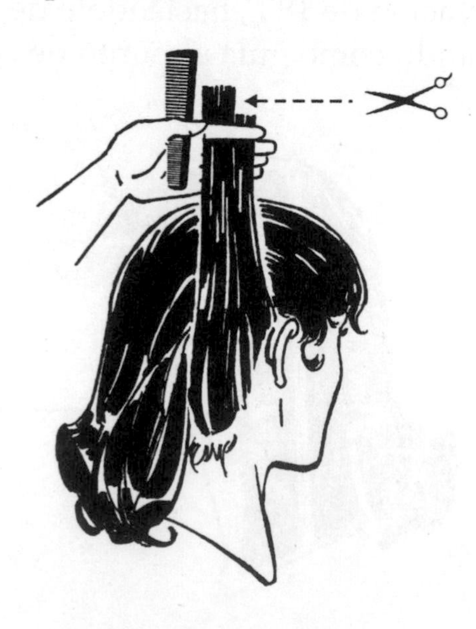

Corte en sección F

Revisando el corte: Pararevisar el corte debes colocarte detrás de la persona. Toma una sección de cabello de la parte de la coronilla, dale una elevación de 180º; el pelo debe estar parejo. Si de un lado la diferencia es de más de 1 cm, el corte es incorrecto y es hora de empezar de nuevo.

Revisando la coronilla

Para revisar la parte alta del frente te colocarás detrás de la persona; haz tres secciones hasta llegar a la frente; levanta las capas una por una a un ángulo de 90º, y si es necesario, corta para emparejar.

Revisando el frente

Por lo que toca a los lados, se revisan en pequeñas secciones horizontales, elevando el cabello a un ángulo de 90°. Si es necesario, corta para emparejar.

Revisando los lados

Para revisar la parte posterior se toman secciones en forma vertical y se elevan a un ángulo de 180°, del lado derecho al izquierdo, como se indica en las siguientes ilustraciones.

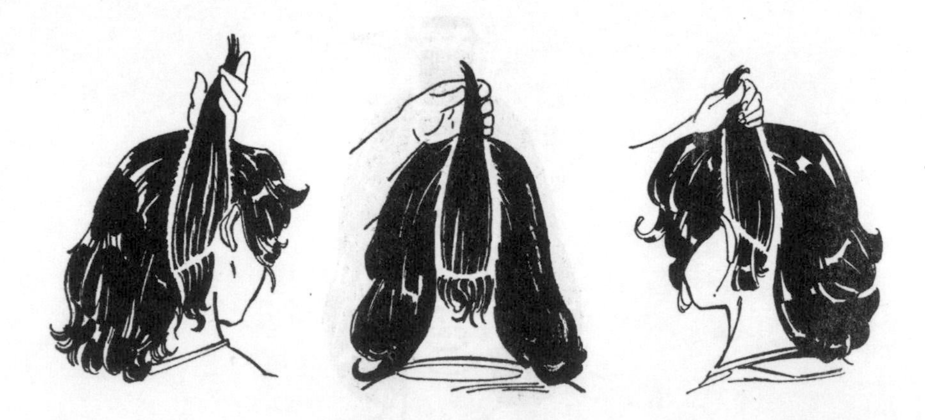

Revisando la parte posterior

Capítulo 5

CONSEJOS FINALES

Cuando ya hayas practicado los cortes que son la base, puedes utilizar estas técnicas que te ayudarán a que los cortes tengan un estilo original y moderno.

Además de darle volumen en la parte superior de la cabeza, se puede sacar provecho a los rasgos faciales que desee resaltar o cubrir, por ejemplo unas orejas grandes, suavizar una nariz grande o chueca, utilizar el cuello, en fin, hay una gran variedad de tips que encontrarás al utilizar estas técnicas.

Nota: Recuerda siempre que el corte del fleco se hace con pelo húmedo, pero como una vez seco queda más corto, se debe cortar el perímetro un cm más largo. Se debe tener en cuenta que el cabello lacio al cortarlo cae libremente, y un cabello rizado sube y queda más corto.

Forma de hacer un fleco en capas: Cuando en un fleco hay mucho cabello y luce abultado se pueden hacer unas capitas para quitarle volumen.

Primero se hace la división en forma de triángulo en la parte alta de la cabeza, desde un tercio de la coronilla hacia las sienes

Después corta el perímetro a la altura de las cejas o debajo de ellas. Se eleva una sección a un ángulo de 90°, dejando que las puntas del perímetro caigan libremente (esto para evitar que se pierda el largo que se desea).

Corta y vuelve a levantar el cabello al mismo ángulo en forma horizontal y corta las puntas que hayan quedado en picos.

Fleco Vertical

Fleco Horizontal

Forma de cortar un fleco y patillas diferentes: Un fleco y unas patillas pueden darte una apariencia diferente a tu rostro, haciéndolo más bello y suave. Al cortar el fleco se debe elegir la cantidad de cabello que quieres en la frente.

Primero se elige la cantidad de cabello que se desea en la frente. Se corta en el centro una sección con el largo deseado (esta es la guía). Se junta el cabello que deseas cortar al centro y se corta con la guía anterior.

Corte del Fleco Diferente

Para cortar las patillas en mechas, debes tomar una sección del cabello, peinar el cabello hacia abajo, cortar debajo de la oreja y peinar en dirección a las mejillas. Corta en la forma que desees darle.

Corte de Patillas

Corte de Patillas Diferente

Forma de cortar púas en la parte superior: Esa técnica es muy usual en los cortes modernos o exóticos. Son muy comunes en los jóvenes o las personas que quieren tener un aspecto juvenil.

Para lograr esta técnica primero debes hacer una división en triángulo de la coronillas hacia las sienes. Se corta una sección en la coronilla (éste será tu punto de control). Toma una sección hacia el frente junto con el punto de control y se eleva a un ángulo de 90°.

Se corta con la guía del punto de control hacia el frente. Con las tijeras dentadas se corta a 2.5 cm de distancia del cuero cabelludo (dos veces la misma sección). Así los cabellos cortos ayudan a levantar los más largos. Continúa cortando en secciones con la misma guía y de la misma forma.

Para dar el efecto de púas aplica crema modeladora, gel o fijador.

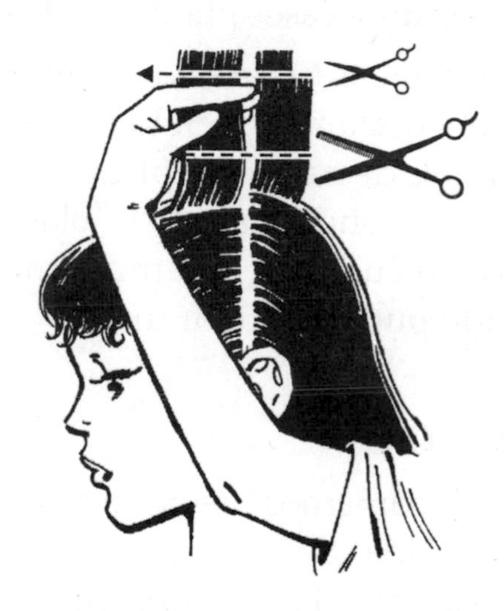

Corte en Púas

Siempre Ten En Cuenta

Finalmente, ya que hemos visto los cortes básicos y cómo arreglar el cabello, es momento de que tengas en cuenta unos consejos para mantener el cabello en perfectas condiciones.

ABUSO DE SECADORAS

El abuso de secadoras y tenazas eléctricas pueden dejarte el cabello seco y quebradizo. Siempre que te sea posible deja que se seque naturalmente, y utiliza productos protectores para ayudar a mantener la humedad del cabello y darle brillo.

AGUA EN EXCESO

El agua "dura", las sales, los productos químicos y el cloro se van acumulando en el cabello y lo dañan de forma terrible (en unos casos pueden incluso decolorarlo).

Cuando expongas tu cabello al agua clorada (albercas), lávalo inmediatamente. Si lo llevas teñido, utiliza un protector antes de nadar, o aplica un poco de cera. Si vives en una zona donde el agua es "blanda", no utilices con demasiada frecuencia el champú y acondicionador, pues el aclarado puede resultar difícil.

ALIMENTACIÓN

Todo lo que comemos juega un papel vital en la salud del cabello. Una dieta rica en proteínas es esencial para mantenerlo sano. Las mejores fuentes de proteínas son: carne magra, aves, pescado, queso, huevos, frutos secos, semillas y legumbres.

Si deseas un cabello sano, resistente y con brillo natural, aumenta el consumo de pescado, algas marinas, almendras, yogurt y bájale (o si puedes elimina) el café y el alcohol, pues estos estimulantes bloquean la absorción de minerales básicos para la salud del cabello.

CAÍDA DEL CABELLO

Es normal perder alrededor de 50 cabellos diarios. No obstante, durante el embarazo se puede presentar una caída temporal excepcional. Esto también puede ser motivado en las demás personas por el estrés, alguna enfermedad o debido a ciertos fármacos. No te preocupes, el pelo volverá a crecer.

La caída por "tracción" ocurre cuando se jala en exceso el pelo para trenzarlo o recogerlo. Los folículos pilosos se rompen y se forma tejido cicatrizal, lo que lleva a la caída.

La caída de cabello hereditaria afecta a un 10% de las mujeres. En el mercado hay una gran cantidad de tratamientos específicos, lamentablemente, muchos de ellos prometen más de lo que pueden resolver.

Conforme envejecemos, las células que forman y mantienen el folículo piloso dejan de dividirse y mueren, haciendo que dejen de nacer nuevos cabellos. Para evitar esto, deja de usar champúes demasiado alcalinos o productos con base de silicona; aclara bien el pelo y da masajes al cuero cabelludo con regularidad, así, evitarás que los folículos se asfixien.

Otro consejo que puedo darte, es que aumentes la ingestión de Biotina, un complejo de Vitamina B que se encuentra en la coliflor, los frutos secos y los huevos.

CALEFACCIÓN

Muchas veces, en lugares sumamente extremosos, la vida sería imposible sin la calefacción. No obstante, ésta absorbe la humedad del cuero cabelludo y del cabello, cargándolo de electricidad estática.

Una buena manera de combatir los efectos resecantes de la calefacción, es colocar recipientes con agua cerca de los radiadores o utilizar humidificadores. Para controlar la electricidad estática y el cabello rebelde, pulveriza un poco de laca sobre un cepillo antes de cepillarlo.

CAMBIOS HORMONALES

Durante la pubertad y el embarazo, los cambios hormonales afectan al cabello. Gran parte de las mujeres embarazadas presentan un cabello graso debido a la súbita irrupción de hormonas en los tres primeros meses.

Lo mejor que puedes hacer en este caso es lavarlo a menudo con un champú suave. Pasando los primeros tres meses del embarazo el cabello vuelve a lucir espectacular, y se vuelve el período donde crece más y adquiere un aspecto grueso y lustroso.

Una vez que el bebé ha nacido, las hormonas empiezan a "reajustarse"y quizá esto afecte al cabello. Asimismo, es normal que se presente la caída del cabello; es una compensación por el cabello que no se perdió durante el embarazo.

Durante el embarazo, para cuidar tu cabello, es recomendable el germen de trigo, una fuente natural de Vitamina B. No es recomendable durante esta época someter el cabello a tratamientos químicos. Si quieres teñirlo usa tintes vegetales

CONTAMINACIÓN

Todos los que vivimos en las grandes ciudades estamos expuestos al humo, la contaminación y la suciedad urbana; todos estos se pueden acumular en el cabello, dándole un aspecto opaco y sin vida. Otros factores dañinos son el humo del tabaco y el gas natural de las cocinas, pues investigaciones recientes han probado que la exposición constante a ellos decolora el cabello.

Una forma de enfrentar a los contaminantes, es lavar el cabello regularmente y mantener los cepillos y peines limpios. Si tu cabello huele a humo o a cocina, cepíllalo bien, pulveriza un poco de perfume sobre el cepillo y vuelve a cepillar (Nota: no apliques el perfume directamente sobre el cabello, pues el alcohol puede resecarlo).

EJERCICIO

Para mantener saludable el cabello (y todo el cuerpo en general), es esencial hacer ejercicio regularmente. Con ello lograremos una buena circulación de la sangre, que a su vez, llevará el oxígeno y los elementos nutritivos esenciales hasta la raíz del cabello a través de la sangre. Investigaciones al respecto han demostrado que media hora de ejercicio al día es suficiente para mantenernos sanos.

ESTRÉS

El estrés tiene un efecto negativo sobre el cabello. Una persona que está bajo presión en el trabajo o en sus actividades, puede llegar a padecer un cuero cabelludo seco y escamoso y si estas presiones son mayúsculas, puede acelerar la caída del cabello.

La alopecia aerata es la aparición de claros transitorios, y el estrés es el causante de este problema en más del 50% de los casos. Si tu ritmo de vida es muy "acelerado", aumenta el consumo de vitaminas del grupo B, vitales para un cabello sano. El yoga y otras terapias de relajación también son aconsejables.

OXIGENACIÓN

Aprender a respirar bien es vital para eliminar residuos y oxigenar el cuerpo. Como cualquier parte de nuestro cuerpo, el cuero cabelludo necesita oxígeno para mantener un cabello sano y que crezca saludable. Muchos de nosotros respiramos de manera superficial. Existe un ejercicio que te ayudará a respirar correctamente: inhala hondo por la nariz contando hasta cuatro; después exhala (también por la nariz) contando hasta seis. Repítelo varias veces.

PRODUCTOS AGRESIVOS

Es muy importante aprender a leer los ingredientes de los productos que compramos. Al acostumbrarnos a ello, lograremos ser más selectivos y lograremos un gran beneficio en nuestra cabellera. Observa que los productos sean adecuados a tu tipo de cabello. Los cosméticos agresivos eliminan las grasas naturales del cabello, dejándolo seco y opaco. Si usas productos que dejan residuos, tu cabello estará lacio y sin vigor.

RAYOS ULTRAVIOLETAS

Los rayos ultravioleta del sol dañan seriamente el cabello. Estos rayos absorben su humedad esencial, le quitan color y queman el cuero cabelludo. Y no creas que

un día nublado ayudará, pues el 90% de los rayos del sol penetran a través de las nubes; por lo tanto, te aconsejo proteger el cabello de la perjudicial luz solar en todo momento.

Existen muchos productos capilares que contienen filtro solar; incluso muchas veces es mejor llevar un bonito sombrero o una atractiva mascada. Con ello, además estarás protegida de insolaciones.

Para proteger el cuero cabelludo de los rayos solares, date un masaje con una crema con filtro solar y, si te produce alguna irritación, aplica una generosa cantidad de "gel" de aloe vera.

SUPLEMENTOS

Gran parte de los problemas más comunes en el cabello (caspa o cuero cabelludo escamoso) se relacionan a la falta de vitaminas o minerales. Algunos suplementos que pueden ayudarte a mejorar el estado de tu cabello y cuero cabelludo son: Betacaroteno (un antioxidante), Complejo de Vitamina B, Vitamina C, Ácidos grasos omega-3, selenio y zinc.

VIENTO Y CLIMA EXTREMOSO

El viento y las condiciones climáticas extremas deshidratan el cabello. Por ejemplo, los fuertes vientos pueden hacer que tu cabello se vuelva seco y quebradizo; las temperaturas muy frías, harán que se cargue de electricidad estática, volviéndolo rebelde e indomable; y un cabello en la nieve puede ser afectado por los rayos UVA, pues éstos se intensifican por la luz reflejada, así que toma todas las precauciones necesarias.

TÍTULOS DE ESTA COLECCIÓN

Aprende a Cortar el Cabello.
Loren Garibay

Decoración con Velas.
Simon Lycett

El Hacedor de Velas.
B. Oppenheimer